JN117381

東晋平

蓮の暗号

〈法華〉から眺める日本文化

ART DIVER

蓮の暗号

〈法華〉から眺める日本文化

1　上段：尾形光琳《燕子花図屏風》江戸時代（18 世紀）
紙本金地著色　六曲一双　各 151.2 × 358.8cm　根津美術館

²　下段：尾形光琳《八橋図屏風》江戸時代（18 世紀）
紙本金地著色　六曲一双　各 179.1 × 371.5cm　メトロポリタン美術館

3　本阿弥光悦《赤楽茶碗 銘「十王」》江戸時代（17 世紀）
高 9.8cm　口径 10.5cm　底径 4.9cm　五島美術館

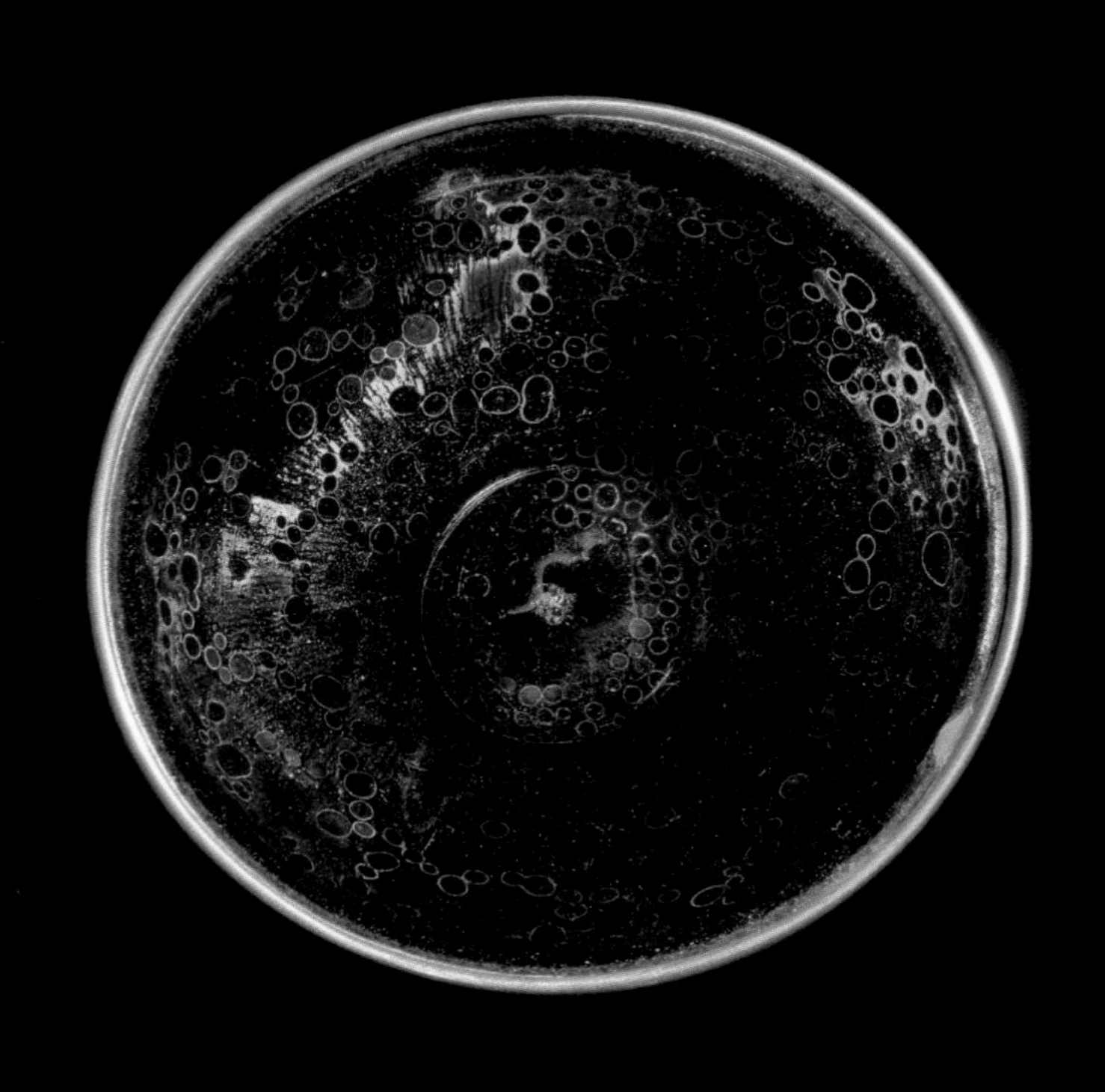

4　《曜変天目茶碗》南宋時代（12-13 世紀）
高 6.8cm　口径 13.6cm　底径 3.6cm　藤田美術館

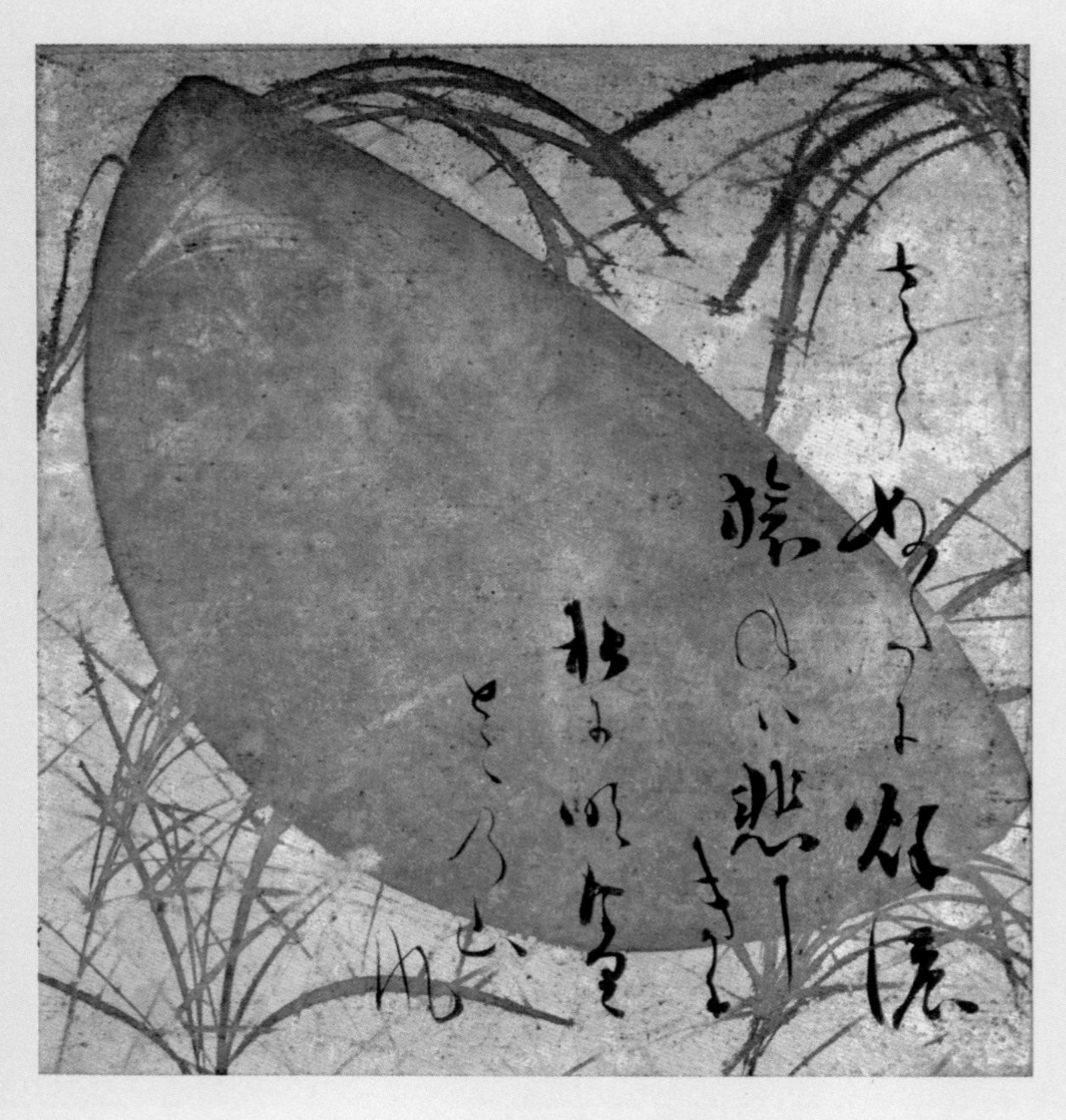

5　本阿弥光悦筆、伝俵屋宗達下絵《色紙帖 新古今和歌集》
江戸時代（17 世紀）紙本著色・墨書　18.1 × 16.8cm　五島美術館

6　本阿弥光悦《黒楽茶碗 銘「雨雲」》江戸時代（17 世紀）
高 8.6cm　口径 11.6cm　底径 4.8cm　三井記念美術館

7　敦煌莫高窟　第 249 窟（部分）
6 世紀

8　《インド・メダイヨン》（表と裏）
紀元前 1 世紀　金　径 1.6cm
アフガニスタン国立博物館

सत्यमेव जयते

9　インドの国章

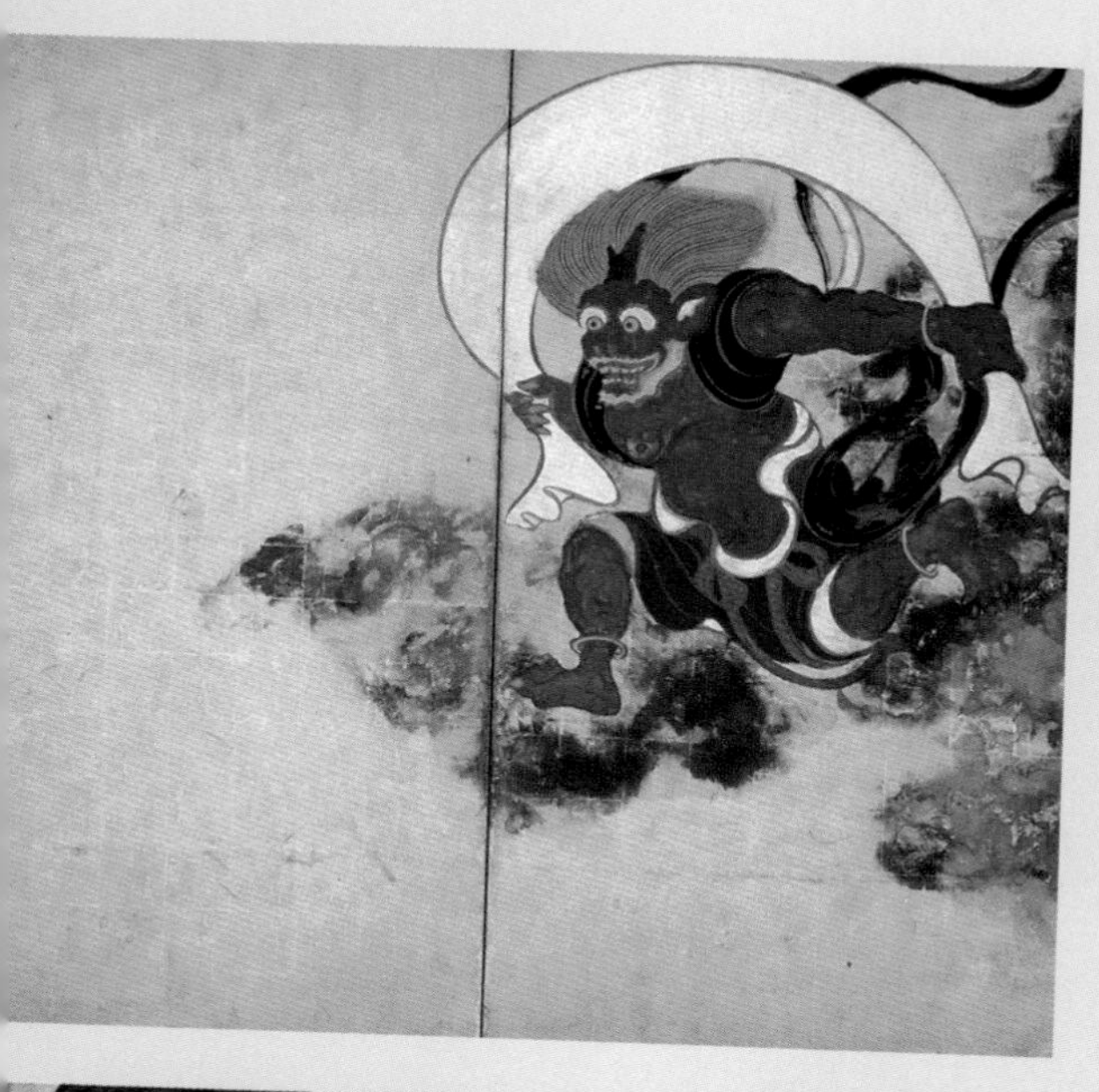

10　俵屋宗達
《風神雷神図屏風》
江戸時代（17 世紀）
紙本金地著色
二曲一双
各 154.5 × 169.8 cm
建仁寺

11　尾形光琳
《紅白梅図屏風》
江戸時代（18 世紀）
紙本金地著色
二曲一双
各 156.0 × 172.2cm
MOA 美術館

12　葛飾北斎《冨嶽三十六景 神奈川沖浪裏》
江戸時代（1830-32 年頃）　木版多色刷　25.7 × 37.9㎝
メトロポリタン美術館

13　葛飾北斎《冨嶽三十六景 凱風快晴》
江戸時代（1830-32 年頃）　木版多色刷　25.4 × 38.1㎝
メトロポリタン美術館

14　宮島達男《Innumerable Life / Buddha MMD-03》2019 年
Light Emitting Diode, IC, electric wire, steel, stainless, transformer
126.5 × 126.5 × 10cm　photo：表恒匡　個人蔵

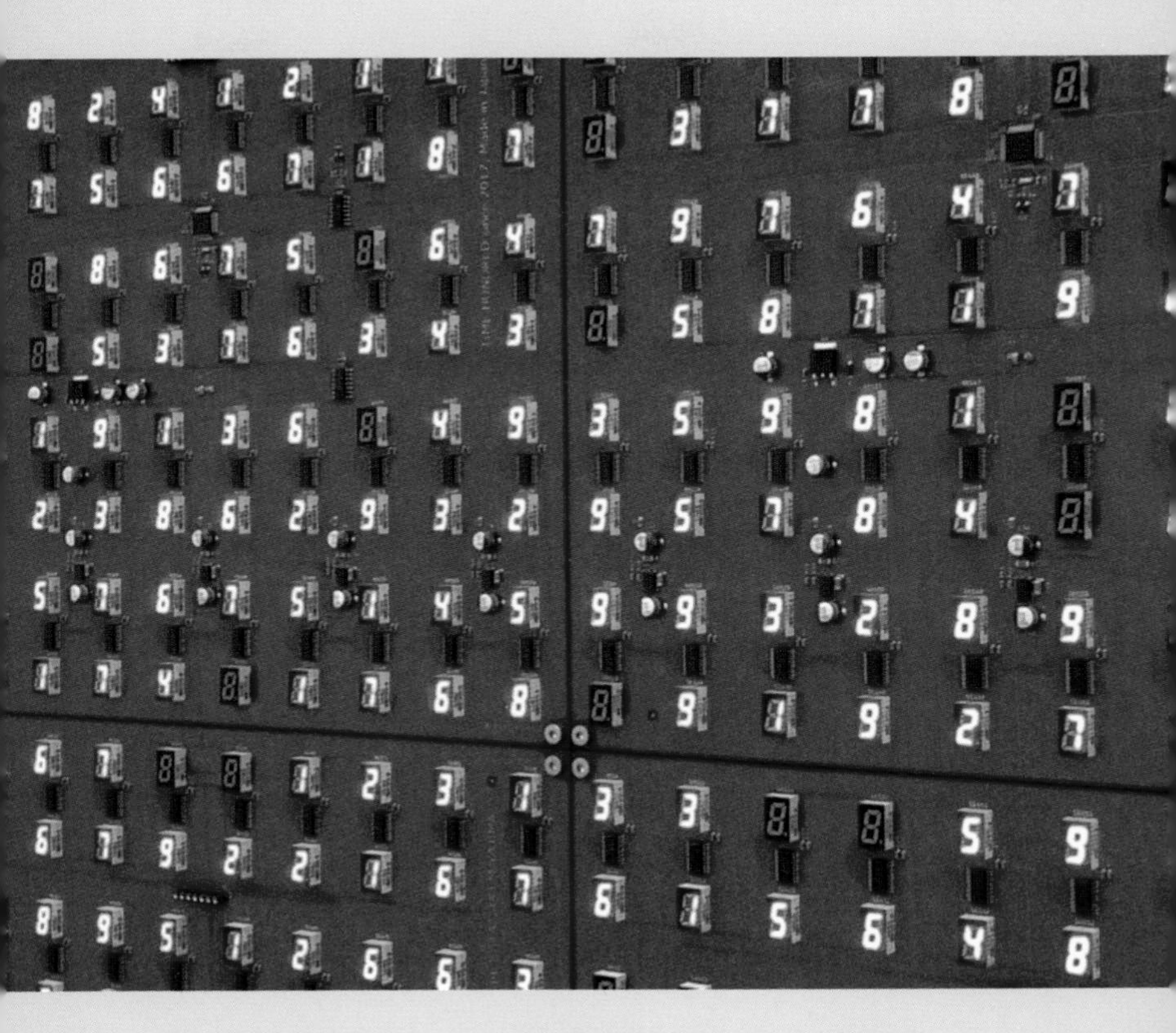

宮島達男《Innumerable Life / Buddha MMD-03》（部分、著者撮影）

15　宮島達男《Painting of Change -000》
2020 年　Gold leaf on Urethane painted MDF, Dice
個人蔵　著者撮影

蓮の暗号

〈法華〉から眺める日本文化

メトロポリタンの燕子花――プロローグ

私が最初に日本という自国の「姿」を発見したのは、おそらく旅先のメトロポリタン美術館の一室だった。

天皇が替わり、元号が昭和から平成になった一九八九年初秋のニューヨーク。単身でアメリカ旅行をしていた二〇代の私は、壮大さに圧倒されながらこの建物の石段をのぼっていた。

マンハッタン島の面積は、東京の山手線の内側のそれにも満たない。だが、近代美術館（MoMA）やグッゲンハイム美術館、ホイットニー美術館、フェルメールを三点所有するフリック美術館をはじめ、大小のギャラリーを含めると、すさまじい数のアートがこの狭い島に集積している。なかでも圧倒的な規模を誇るのがメトロポリタン美術館だ。

セントラルパークのなかほど東端にある巨大な建物。南北の長さは、五番街を挟んだイースト八〇丁目から八四丁目まで四ブロックに相当する。開館は一八八〇年。三連のアーチとギリシャ風石柱が印象的なファサードだ。設計したのは、あの自由の女神の台座を手がけたリチャード・モリス・ハント。その後も増築を重ねて今日にいたる。

アッシリアの石像から現代アートまで、およそ五〇〇〇年。この建物に収蔵された総計三〇〇万点とも言われる品々は、人類の文明のあらゆる美を貪欲に蒐集しようとしたかのようだ。教科書や美術書で見覚えのあるヨーロッパの絵画や彫刻の数々。はじめて見るイスラムやアフリカの美。当時はまだあまり見たことのなかったアメリカ印象派の絵画。膨大な作品のなかを何時間も巡り、すっかり歩き疲れてアジアの部屋に入った。

*

少し歩き進んだときだ。部屋の片隅から青と緑の光が視界に飛び込んできた。ほとんど吸い寄せられるように、私はそこへ歩み寄っていた。

六曲の屏風が一双。まばゆい金地のうえに、あざやかな青と緑で燕子花が群生している。二隻の屏風を貫いて右上から左下へ、力強い幾何学的なラインで描かれた墨色のシンプルな橋。燕子花を見ている視点と橋を見ている視点はズレていて、そのことが燕子花と橋のコントラストを絶妙にさせている。

それは、尾形光琳（一六五八―一七一六）が晩年に制作した《八橋図屏風》だった。『伊勢物語』の第九段「八橋」を描いたものだ。

関西で育った歴史好き少年だった私は、京都や奈良の主だった寺社とその宝物を、子どもの頃から何度も観ていた。けれども、世界の美術史の森を巡るようなメトロポリタンの一室でこの《八橋図屏風》と対面したとき、なぜかはじめて自分が「日本」と出あえたような昂(たか)ぶりを感じた。

閉館間際のミュージアムショップに急いで直行すると、迷わずに二枚組になっている《八橋図屏風》のポスターを買った。人生初のアメリカ旅行なのに、その記念に買ったのが日本美術のポスターというのは自分でも奇妙な気がした。それほど心を動かされたのだろう。東海岸からハワイを巡る二週間の旅行中、ポスターが折れないように気づかい、帰国するとフレームを特注して自宅に飾った。

*

私は今、COVID-19のパンデミックによって閉ざされた世界のなかで、この本を書いている。訪日外国人旅行者数は、二〇一三年にはじめて一〇〇〇万人を超え、パンデミック前年の二〇一九年には三一八八万人を突破した(日本政府観光局統計)。平日の銀座を歩くと、一瞬、自分がどこの国にいるのかわからなくなるほど外国人が溢れていた。

他者のフラットな好奇心と驚きは、しばしばこちらの予測不能なところに注がれる。そのことによって私たちは、認識していた自身の像が、むしろ既成概念にとらわれた一面的なものだったことに気づかされる。

異邦の人々は、日本の文化とそれを織りなしてきた歴史に、ますます探求心を傾け深めようとしている。一方、当の日本に暮らすわれわれの側はどうなのだろう。どこまで自分たちの文化の多様性と多層性を理解しているのか。

何でもかんでも「禅」「神道」「侘び・寂び」「武士道」「アニミズム」。すっかり手垢にまみれたお決まりのラベリングで片づけて、なんとなくわかったようなふうに誤魔化してはいないか。この違和感が、私のなかにはずっとくすぶっていた。

しかし、たとえばあのメトロポリタンの《八橋図屏風》は、このような既成のラベリングで説明できるのだろうか。

同じく光琳作の国宝《紅白梅図屏風》でもいい。光琳が私淑した俵屋宗達の国宝《風神雷神図屏風》でもいい。あるいは世界最古の女流文学とされる『源氏物語』。この三〇〇年間ほぼ毎年どこかで演じられてきた歌舞伎最大の人気演目『京鹿子娘道成寺』。おそらくもっとも世界に知られた日本の絵画である葛飾北斎の《神奈川沖浪裏》。これらはどれも、先述したようなラベリングで単純に語ることはできない。むろん「密教」でも「浄土教」でもない。

*

つまり、「日本」を考えるうえで私たちがまだ見落としている要素がある。いや、そもそももっと本質的なことを、日本人自身がよく理解しないままにいるのかもしれない。

日本で「禅」や「神道」が思想として受容され、文化として花開くのは、一三、四世紀のこと。しかし、それよりも早く文化の土台になっていたものがある。それが『妙法蓮華経』略して『法華経』だった。

サンスクリットでは「サッダルマ・プンダリーカ・スートラ」（Saddharmapuṇḍarīka-sūtra）と題された経典。大乗経典を代表するこの経典は、紀元一世紀頃に現在の北西インドあたりで成立した。それはナザレのイエスが宣教し、パウロによってキリスト教が萌芽を見た時代ともほぼ重なる。

五世紀のはじめ、鳩摩羅什はこれを「妙法蓮華経」と漢訳した。語学の天才であった羅什は、シルクロードの亀茲国（現在の新疆ウイグル自治区クチャ県）に生まれ、初期仏教から大乗仏教までを深く理解し、豊かな漢語も身につけていた。

四〇一年に後秦の姚興帝によって長安に迎え入れられると、四〇九年に没するまでのわずかな期間に多くの人材を育成し、『摩訶般若波羅蜜経』『大智度論』『中論』『維摩経』『妙法蓮華経』など七四部三八四巻の経巻を漢訳している。明快で流麗な羅什訳の大乗経典が数多く残されたことで、中国は大乗が優位な文化圏になり得た。

日本最古の書跡として皇室御物になっている《法華義疏》は、聖徳太子筆とされる法華経の注釈書。東大寺大仏建立で知られる聖武天皇は、七四一年に国ごとに国分僧寺と国分尼寺を建立する詔勅を出した。国分尼寺の正式名称は「法華滅罪之寺」だ。七五三年に来日した鑑真は、智顗（天台大師）の法華経講義をまとめた『法華文句』『法華玄義』『摩訶止観』をもたらした。

そしてこの法華経の影響は、単に仏教の世界だけにとどまらなかった。日本の宮廷から庶民まで幅広い階層のうえに、じつに多様な文化の花を開かせていくことになる。

*

あの日、メトロポリタン美術館の一室で私を釘づけにした一双の屏風。そこに脈打っていた生命とは何だろう。一見して宗教的なものは感じられない。私は長いあいだ、その秘められたものに思いいたらなかった。

それは、日本文化に流れ通う「法華」の水脈を、ともすれば私たちが意識の外に置いてきたからではないのか。その流れは、あからさまな水音を立てない。むしろ地中深くを潤し、あらゆる草木の根から茎へと巡って、豊かな森を育んできた。

そこに、ありありと描かれているのに、そうとは気づかないもの。気づかせないもの。それを、あえて想像力を豊かに解読の妄想に耽ってみたい。

『蓮の暗号』目次

第11章　北斎「Big Wave」——一瞬のなかにひろがる永遠

第12章　ガジェットの仏陀——受け継がれる〝法華芸術〟

凡例

本書で取り上げる範囲が日本だけにとどまらないことと、読者の煩雑さを避けるため、年表記については原則として西暦のみとした。ただ、諸記録と整合性を持たせるため、日本の暦が太陰暦から太陽暦に変わった一八七三年（明治六）一月一日より前の出来事についての「月」「日」は太陰暦のままとしている。

装丁・レイアウト　矢萩多聞

第1章

「琳派」という系譜

私たちが思う「和風」の誕生

ふたつの屏風

二〇一二年の春。思いがけなく、あのメトロポリタンの《八橋図屏風》と再会する日が巡りきた。東京・青山にある根津美術館で「KORIN展」が開かれたのだ。

本来は、根津美術館の開館七〇周年記念行事として前年に予定されていたものが、東日本大震災の影響でくり延べになっていた。

展覧会のサブタイトルは「国宝『燕子花図』とメトロポリタン美術館所蔵『八橋図』」。根津美術館が所蔵する国宝・尾形光琳の《燕子花図屏風》(口絵1)と、メトロポリタンの《八橋図屏風》(口絵2)を並べて見せるという特別展だった。

「KORIN展」のポスターには、「光琳ふたつの金屏風/東京・ニューヨーク/一〇〇年ぶりの再会」というコピーが躍っていた。

じつは光琳の二〇〇回忌にあたる一九一五年。一度だけ、このふたつの屏風はそろって展示されたことがある。日本橋・三越呉服店の「光琳遺品展覧会」で、会期は六月一日からわずか三日間。このとき、《燕子花図》は東武財閥の創始者である初代・根津嘉一郎が、《八橋図》は男爵・松平斉光が、それぞれ所有していた。

もともと《燕子花図》は西本願寺が発注したものと考えられており、[❖1] 同寺の寺宝だった。大谷探検隊などで寺の財政が逼迫したことから一九一三年に売却され、翌年、古美術蒐集家であった初代・根津嘉一郎の手にわたった。根津美術館は、初代・嘉一郎のコレクションを引き継いで創設されたものだ。

一方の《八橋図》は、三越での展示のあと松平家から旧鳥取藩主・池田侯爵家に移り、一九一九年六月二日、東京美術倶楽部の入札会に出された記録が残っている。その後、幾人かの持ち主を経て、《八橋図》は一九五三年にメトロポリタン美術館が山中商会から購入した。

光琳作の《燕子花図》と《八橋図》が並ぶのは、一九一五年の三越以来のことだったのだ。まさに一〇〇年ぶりの再会。

どちらも六曲一双（ろくきょくいっそう）の屏風で、同じ『伊勢物語』の「八橋」を題材にしている。燕子花だけがリズミカルに並ぶ《燕子花図》は、橋が描かれた《八橋図》より一〇年ほど早い時期の制作と考えられている。

メトロポリタン所蔵となってから《八橋図》が日本に来たのは、一九七二年の「琳派（りんぱ）展」（東京国立博物館）のみ。四〇年ぶりの来日となった。

尾形家と宮中ファッション

尾形光琳は京都の高級呉服商・雁金屋（かりがねや）の次男で、すぐれた呉服の意匠にかこまれて育った。《燕子花図》では、群生する燕子花に、よく見ると同じ形の花びらの絵柄があることが知られている。光琳は、同じ型紙を使ってパターンを繰り返すことで、自然描写というよりもデザイン性の強い世界をつくりあげた。それに比べると、《八橋図》の燕子花は《燕子花図》のデザイン性を引き継ぎつつも、より自然描写的になっている。両者の制作のあいだにあった時間は、光琳をどう変化させたのだろうか。

この「KORIN展」には、当時の明仁（あきひと）天皇と美智子皇后も訪れている。その後、まだ展覧会の会期中だった五月半ば、おふたりはエリザベス女王の即位六〇周年を祝う午餐（ごさん）会に招かれて訪英した。

バッキンガム宮殿で女王の出迎えを受けた天皇陛下はダブルのスーツ。美智子様は金泥（こんでい）の霞（かすみ）柄（がら）があしらわれた生成（きなり）色の和服。そのニュース映像を見ていた私は、一瞬あっと思った。着物の落ち着いた色調をフレームに、女王の晴れの日を祝うために輝いていたのは、目にもあざやかな《燕子花図》の帯だったのだ。あとから確認したら、美智子様は二〇〇七年のリトアニア訪問、二〇一〇年のカンボジア国王お見送りでも、この帯をお召しになっていた。❖2

セレブ御用達の呉服屋の息子として、幼い時期から能や書画をたしなんできた光琳。彼が三〇歳のとき、父親の宗謙が死去する。家業は長兄の藤三郎が継ぎ、次男の光琳は遺産を浪費して過ごしていた。

宗謙が没する数年前から、じつは雁金屋の経営は傾いていた。最重要の顧客であった東福門（とうふくもん）

院和子の死去（一六七八年）。大名貸しに手を出して不良債権を抱えたこと。これらが大きく響いていた。

東福門院和子は徳川秀忠の娘（つまり家康の内孫）で、後水尾天皇の妃。幕府と朝廷を結ぶキーパーソンとなったこの中宮は、芸術文化にも造詣深く、ファッション・リーダーとして多くの衣装を雁金屋に発注していた。後宮の着物に当時流行の袖幅の広い小袖を持ち込んだのは和子だとも言われている。

放蕩息子の改心

さて、亡父から譲り受けた家屋敷や工芸品などの遺産を次々に処分しながら、放蕩な暮らしを続けていた光琳。父の死のすぐ後には、女性から訴えられ、屋敷と銀貨を渡して示談したという事件もあった。

美術史家である高橋伸城の話によると、尾形家ゆかりの寺院に残る書状にも、光琳の借金にまつわるものが多いらしい。弟・乾山（一六六三―一七四三）からも借金を重ね、乾山から生き方を改めるよう厳しく諌められている。こうして、さしもの光琳も三〇代の終わりになって、得意の画業で身を立てることを真剣に考えた。

もしも雁金屋が富裕なままであったら、おそらく美術史に残る天才は生まれなかった。単なる京の放蕩息子として彼の生涯は終わっていたことだろう。雁金屋の没落が美術史に奇跡をもたらした。

光琳と乾山の芸術的才能を早くから買っていたのは、公家の二条綱平（一六七二―一七三二）だった。二条家は五摂家のひとつ。兄弟は二条家の御伽衆として、そのセレブな談論サロンに出入りを許されている。光琳が画業に取り組んでまもない時期に、早くも朝廷御用絵師の「法橋」位に叙せられているのは、こうした人脈と無関係ではないだろう。

> 《燕子花図屛風》へと結実する前半生の光琳の関心が、主に京都の公家社会へと向けられていたとすると、視野を広げさせた人物こそ、中村内蔵助（一六六九―一七三〇）であったと思われる。（仲町啓子『光琳論』中央公論美術出版）

法橋に叙せられる直前の一七〇〇年、光琳は京都で中村内蔵助と知り合ったようだ。中村家は貴金属を扱う商家で、家康の時代から貨幣鋳造所である「銀座」の重職を担っていた。内蔵助は当時まだ三〇代になったばかりで銀座の年寄役に就任している。そして、金銀貨の質を下げて通貨量を増やすという幕府の貨幣改鋳政策によって巨万の富を手にすることになる。もともとが関西の豪商だったらしく、内蔵助は京都と江戸を定期的に往復する生活をしていた。光琳より一一歳年下ながら、内蔵助は以後、光琳の最大のパトロンになっていった。

内蔵助の娘・お勝（かつ）は、生後すぐに光琳の養女となっている。内蔵助からは毎年「銀一貫目」が養育費として光琳に支払われ、「これは実質的には光琳への経済的な支援であったと解される」（仲町啓子『光琳論』）という。光琳は内蔵助の仲介で自分の息子の辰次郎（たつじろう）を小西家の養子に出し、のちにお勝を辰次郎と結婚させている。

このように光琳にとって内蔵助は特別な存在であった。そのことは、現存する光琳筆の肖像画が、中村内蔵助を描いたもの一点しかないことにもあらわれている。内蔵助の肖像画は、画風のうえでも『伊勢物語』などを題材とした光琳の他の作品に登場する宗達（そうたつ）風の人物画とは異なっていた。じつに写実的に細部まで繊細に描かれているのだ。

> 中村内蔵助の実像に迫り、その姿を伝えようとする光琳の意思がはっきりと刻まれていることが判明する。人生の節目にさしかかろうとしていた光琳は、像主が今後の人生にとっても大きな影響力を持ってくるであろうことを予感しつつ、内蔵助の威儀を正した肖像画を、特別な思いを込めて描き出したと言えよう。この肖像画からは、光琳が内蔵助を単なる経済力のあるパトロンとしてだけ見ていたのではなく、その人格や教養に相応の敬意を払っていたことが伝わってくる。（前掲『光琳論』）

江戸前期のアイノカタチ

肖像画が完成した直後の一七〇四年三月、内蔵助は公務で江戸に移る。しかし半年で京都に戻る予定がしばらく戻れないと判明した。

すると同年一一月、光琳は妻を京都に残して彼を追うように江戸に下った。内蔵助のとりなしのもと光琳は江戸での長逗留(ながとうりゅう)を繰り返し、津軽家など大名家をひいき筋に仕事をしている。今日、国内外の美術館に所蔵される国宝クラスの光琳作品は、この時期に大名家に納められたものが多い。あのメトロポリタン美術館の《八橋図屏風》もこの時期に描かれた。

中村内蔵助の金満ぶりは世間でも評判になっていた。最終的にそれがアダとなって失脚してしまう。貨幣改鋳によって物価が上昇し、貨幣への信用が低下していく。七代将軍・家継(いえつぐ)の補佐役となった新井白石(あらいはくせき)は、銀座年寄だった内蔵助らを粛正。一七一四年に内蔵助は全財産を没収され追放処分となった。光琳が逝去する二年前の出来事だ。

このときに内蔵助の処罰理由になったのは、鋳造に関する不正ではなく、その分際に過ぎた豪奢きわまる生活ぶりだった。仲町氏の『光琳論』によると、内蔵助は京都・下立売(しもだちうり)に桁外れの豪邸をかまえ、ほかにも四軒の豪邸を所有していた。没収された際の所持金だけでも金二〇一八両と銀一六七貫あった。ちなみに、後述する光琳の二条新町屋敷の建築費でさえ増築分を含めても一三貫だった。

ともあれ光琳を支え続けた内蔵助は、光琳の最晩年に彼の前から姿を消した。

美術史家の小林太市郎（一九〇一―一九六三）は、例の内蔵助肖像画について「内蔵助が光琳の愛人たることは毫もうたがう余地がない。愛がなければ、情がなければ、どうしてこのような絵が描けるであろうか」[3]とし、光琳の晩年の代表作《紅白梅図屏風》（口絵11）は、光琳を左隻の白梅、内蔵助を右隻の紅梅になぞらえたものだと解釈している。

《中村内蔵助図》で正装して正座する内蔵助の前の畳には閉じた扇子が置かれていて、よく見ると扇面には梅の枝が描かれている。

妻子のある者同士の恋愛というと奇妙に思うかもしれない。だが、光琳と内蔵助が親交した一七世紀末から一八世紀初頭の日本は、まだ同性愛と異性愛が分化されない中世からの性愛感覚が多分に残っている時代だった。それはそれ、これはこれ、だったのだ。

たとえば、あの浅野内匠頭が吉良上野介を江戸城内松の廊下で斬りつけた事件が起きたのは一七〇一年。『仮名手本忠臣蔵』の原形となる一七一一年に刊行された浮世草子『忠義武道播磨石』や一七一七年の『忠義太平記大全』ではともに、尾花右門（吉良）が印南野丹下（浅野）の小姓に恋をし、「俺にくれ」「いや、こいつだけは渡さぬ」となったことが両者の遺恨の原因として描かれている。

それが史実そのものかどうかはともかく、世の人々はそのような筋立てに共感し、違和感なく受容していた（氏家幹人『武士道とエロス』講談社現代新書）。

『三王外記』[4]は、当時の五代将軍・綱吉（一六四六―一七〇九）について「王、男色を好み、諸侯以下、朝士・吏卒・家人子弟に至り、苟も姿色有る者は皆侍中に入れる」（綱吉は男色を好み、諸大名から旗本・御家人にいたるまでの子弟で容貌の美しい男子は皆、側近にした）と記録し、二〇人余の実名を挙げている。綱吉に寵愛され、小姓から大名となり、老中より上格の左近衛権少将にまで昇りつめた柳沢吉保の例もある。

とくに寵愛された小姓たち（なかには妻帯者もいた）は、神田橋の柳沢吉保邸での集団生活を命じられ、体形の維持まで厳しく管理されたと『三王外記』は伝えている。[5]

綱吉はほかにも一〇〇人を超す若い能役者を、江戸城内の廊下番などとして自分の近辺に召し抱えた。[6] さらに『御当代記』では、元禄二年（一六八九）の記録として、駕籠かきの身分だった「六右衛門」という若者が「男振りきれいなるによりて御城へめされ」、綱吉の入浴の世話をする新設ポスト「御湯殿がしら」に登用されたとある。[7]

この当時は、まだ社会全体の通念としても女色と男色は並存するものであり、「男どうしの性愛をことさら異常視、罪悪視しなかった」（『武士道とエロス』）時代だった。こうした感覚は貴人や僧侶、武家だけでなく町人にもひろがっていて、一六八二年に出版された井原西鶴『好色一代男』の主人公・世之介は、六〇歳になるまでに三七四二人の女性だけでなく、七二五人の男性と関係を持っている。

プラトンの『饗宴』にも描かれているように、セクシュアリティは固定化した〝自然の摂理〟というより、多分に社会的・政治的・文化的につくられていくものなのだろう。

《中村内蔵助像》や《紅白梅図屏風》に光琳と中村内蔵助の性愛関係を見る小林太市郎の説は、あながち荒唐無稽というわけでもないし、ましてや光琳をなんら貶めるものでもない。美術史家の山下裕二氏も「小林の光琳論は珍説あるいは妄想としてかたづけられがちですが、彼の直感はこの絵の或る真実をとらえている」❖8と述べている。

クリエイターの〝理想の家〟

通算五年ほどの江戸暮らしののち光琳は京に戻る。そして一七一二年、新町通二条下ルに、自分で設計して終の棲家となる屋敷を建てた。二条城の少し東。西側が新町通りに面した地所。ここで最晩年のおよそ五年を過ごしたのだった。

「ＫＯＲＩＮ展」から三年後の二〇一五年五月四日。私は友人と連れ立って熱海駅に降り立った。めざす先は高台に建つＭＯＡ美術館だ。その敷地内には「光琳屋敷」がある。

光琳自身が書いた屋敷の平面図や、大工棟梁の遺した仕様書が、幸いにも子孫の小西家に保存されていた。MOA美術館の開館三周年となる一九八五年。数寄屋建築・茶室の研究で知られる堀口捨己博士の監修のもと、早川正夫氏の設計で、屋敷が精巧に復元された。

ふだん基本的に内部は非公開。二〇一五年が光琳の三〇〇回忌にあたることから、五月の連休のうち五日間だけ、なかに入ることが許された。私は、それを目当てに新幹線に乗ったのだった。

屋敷の敷地は、間口が七間半（約一三、六五メートル）、奥行が一三間（約二三、六六メートル）で、三二〇平方メートルあまり。坪数でいうと九八坪ほどだろうか。そこに建て坪約九〇坪、二階建て数寄屋造りのなかなかの豪邸だ。

新町通に面していたであろう大塀に、四角く切りとられた門。これをくぐると、すぐ右脇に式台がある。薄暗い玄関から内部に導かれた瞬間、一転して視界には緑が映える露地が開ける演出だ。

最初にあるのは一一畳の書院。ここは二条家などのクライアントを迎え、作品を披露する商談の場でもあった。書院は、鴨居から上が赤丹色の大坂壁。鴨居から下の壁は、ブルーの「光琳大波」の紋様で装飾されている。書院の奥は、すべて赤丹の大坂壁で整えられた五畳半の茶室。その奥は水屋をそなえた五畳の次の間。

とてつもなくモダン。光琳の感覚は、今もわれわれの美意識を貫いて、少しも古びていない。

陰鬱さが微塵もない。なにより天井が高い。光琳屋敷は当時としても抜きん出て背の高い家屋だったらしい。

茶室の先は、光琳が使う居間、奥次、夫人の居室である奥というプライベート空間。壁も落ち着いた薄香色に変わる。東端は二畳の化粧間。襖をあけると上段に仏壇がある。尾形家は日蓮の教えを信奉する法華衆❖9だった。

書院から露地におりると、「青々庵」と名づけられた茶室がしつらえられている。青々とは光琳の号のひとつ。書院奥の茶室が赤丹のモダンな空間だったのに対し、こちらは露地をとおり躙り口から入る三畳台目の、凛として端正な茶室だ。

非公開だったが、居間と奥次の真上部分が一六畳の絵所（アトリエ）。MOA美術館が所蔵する国宝の《紅白梅図屏風》も、この絵所で制作されたと考えられている。新町通から見ると、二階は高い屋根があるだけで絵所の存在は気づかれにくい。絵所へ出入りする階段もプライベートなエリアにつくられていた。光琳は絵所に他人を立ち入らせたくなかったのだろう。

西側の門から入って、手前の優雅な書院と趣の異なるふたつの茶室までは、ゲストを接遇するビジネス空間。その先は私的な生活空間。私的空間の二階には、日常を遮断し制作に専念できる広々とした秘密のアトリエ。

今ならさしずめ『Casa BRUTUS』が放っておかないような、クリエイターとしては理想の邸宅だ。建築は建てた人を雄弁に語る。

設計変更された新町屋敷

小西家に遺されていた光琳筆の図面は、じつは二種類ある。一通は実際に建てられた最終案。少し様相の異なるもう一通は、当初の設計案だったと思われる。美術史・書誌学の専門家で神戸大学大学院客員教授などをつとめた林進氏は、当初案の図面は一七一〇年頃に描かれ、最終案は着工される一七一一年の春頃までに描かれていただろうと推定している。❖10

林氏によれば、もともとこの二条新町の屋敷は中町薮内町の本宅とは別に、「あや」という名の女性と暮らすために計画されたものだった。当初案では絵所は一階で採光も十分ではなく、茶室「青々庵」もない。注目すべきは化粧間に仏壇がないことだ。

それが着工された最終案では、余人の立ち入りを拒み採光を十分にした絵所が二階につくられ、親しい者と時間を共有する「青々庵」もできている。

この時期、尾形家の家督は次男の光琳が継いでいた。当初案になかった仏壇が、なぜ二条新町の屋敷に入ったのか。林氏は仏壇の存在は、「あや」が光琳夫人として認められていたことを示すものと見立てている。

当時、江戸幕府は究極の統治政策として「寺請（てらうけ）制度」を完成させていた。

すべての民はいずれかの寺院に帰属させられ、婚姻や旅行には寺院の発行する寺請証文を必要とした。宗門人別帳（しゅうもんにんべつちょう）というシステムで寺院に戸籍管理をさせることで、幕府はじつに巧妙に民の内心まで支配掌握を徹底したのだ。理由なく所属寺院の行事に参詣しない者には、キリシタンや不受不施派など禁教徒の嫌疑がかかった。

幕府は寺院に檀家（だんか）として信徒を割り振るかわりに布教を禁止する。さらに本来は僧侶が出家して授戒する際に受けていた戒名を、死亡した者に授ける法名とした。その戒名を刻んだ位牌を祀らせることで、亡くなった先祖が〝ホトケ〟になった。❖[11]

仏教は本来のエネルギーを奪われ、民を寺院に依存させる先祖供養の宗教へと変質していく。家督を継ぐことは、先祖の位牌の祭祀を継ぐことを意味した。

江戸時代に入ると専ら（もっぱ）位牌安置の場所としての仏壇が普及する。したがって、本宅でないならば位牌を置く仏壇は必要ない。林氏が仏壇の存在から「あや」の立場を推定したのは、こうした理由によるのだと思う。

今に残る光琳の作品は、ある意味でクライアントの要望や立場、好みに沿ってつくられたものだ。その点、晩年に自ら設計して建てたこの自邸こそ、彼の〝真の作品〟でなくして何であろうと私は思う。光琳の美意識や性格、思想や生き方とその変遷、さらには日々の暮らし方までを、そのまま映し出したものであるはず。

復元された建物ながら、この邸内に触れた建築オタクの私は、尾形光琳という人物のおぼろげなうしろ姿を垣間見たような気がした。

〝発見〟される美

今日、日本美術には尾形光琳の名前の一文字を冠した「琳派(りんぱ)」という系譜がある。通常、芸術の世界で○○派と称される場合、たとえ一子相伝(いっしそうでん)でなくとも、代から代へ、師弟の直接的で密接な関与がある。しかし「琳派」には、それがない。

主要な登場人物は四人。本阿弥光悦(ほんあみこうえつ)(一五五八年―一六三七年)、俵屋宗達(たわらやそうたつ)(?)、尾形光琳(一六五八年―一七一六年)、酒井抱一(さかいほういつ)(一七六一年―一八二九年)。宗達は本阿弥光悦とほぼ同時代の人と推定されているものの、不思議なことに生没年も出自も墓所も不明なのだ。

関ケ原の戦いに勝った徳川家康が征夷大将軍となるのが一六〇三年。その後、一六一五年の大坂夏の陣で、豊臣家が滅亡する。ここから大政奉還までのおよそ二五〇年、パクス・トクガワーナ(徳川幕府による平和)の時代となった。本阿弥光悦と俵屋宗達の名は、このパクス・トクガワーナの開幕とほぼ軌を一にして歴史の舞台に登場する。

その徳川の幕藩体制が確立され、武断政治から文治政治に変わり、産業・商業の発展を見る元禄文化の時代に、尾形光琳は画業で身を立てていった。

光琳と光悦の生きた時代は重なっていない。ただし、ふたりには血縁関係がある。光琳の曽祖父・道柏（どうはく）は光悦の女兄弟と結婚している。鷹峯（たかがみね）光悦町の古図には、本阿弥家の住居に近接して、光琳の祖父である尾形宗柏（そうはく）の住居が確認できる。本阿弥家と尾形家は、同じ法華信仰でも結ばれていた。

江戸時代は、前半と後半に大きくふたつの文化の爛熟期があった。前半は一七世紀末から一八世紀初頭、上方（かみがた）からひろがった「元禄文化」。後半は一八世紀末から一九世紀前半に江戸で開花した「化政（かせい）文化」だろう。酒井抱一は江戸に光琳のスタイルを移植して咲かせ、この化政文化の一翼を担った。光琳の一〇〇回忌には、光琳の画風の宣揚と継承のために、抱一が『光琳百図』を編纂している。

「琳派」の巨匠たちは、このように別々の時代に登場した。先人の美を発見し、継承者という自負を持つことで、その系譜は受け継がれた。

MUJIのルーツ

「琳派」という呼び方は、いつ頃から成立したのか。静嘉堂（せいかどう）文庫美術館館長の河野元昭（こうのもとあき）氏はこう述べている。

この画流を「宗達光琳派」と呼ぶことが長い間行われてきた。日本美術史上稀有な総合的芸術家であり、宗達の優れた協力者、あるいは指導者であったと考えられている本阿弥光悦によって象徴される光悦派という名称を用いた美術史家もかつてはあった。あるいは尾形流や光琳派などと称されることもあった。しかし一九七二年、東京国立博物館の創立一〇〇周年を記念して開催された特別展「琳派」を機に、この名称が一般化し、現在では広く「琳派」と呼称されるようになっている。（『年譜でたどる琳派四〇〇年』淡交社）

この〝発見〟の系譜、あるいは影響は明治以降も続き、古谷紅麟、今村紫紅、速水御舟、加山又造などの名が挙げられる。

セゾングループや無印良品のアートディレクションを務めた田中一光（一九三〇年―二〇〇二年）もそのひとり。戦後を代表するグラフィックデザイナーだ。私たちがよく知る「ＭＵＪＩ」の美意識のルーツは、光悦、宗達、光琳につながるのだ。

田中一光は生前、河野元昭氏との対談で、こう語った。

琳派というのは、一見容易なんです。もちろん奥は深いんですよ。「光琳百図」という、いままでいうデザインのマニュアルがありますよね。ああいうものが印刷されて人々の手に渡っていたということは、生活にもこの美学を応用しなさいという意図があったわけです。だから料理の盛りつけとか、お菓子の形とか着物の柄とかそういうものに、かなり光琳的な要素が入ってきます。光琳が存在しなかったら、いわゆる和風とか日本調というものは生まれなかったと思います。（月刊誌『なごみ』一九九八年一月号／『年譜でたどる琳派四〇〇年』に再録）

本阿弥光悦が徳川家康から京都・鷹峯に土地を拝領し、同じ法華衆の絵師や職人を集めて「光悦村」を開いたとされるのが一六一五年。そこから四〇〇年の節目が二〇一五年で、同時にこの二〇一五年は光琳の三〇〇回忌。光琳が光悦よりちょうど一〇〇年あとに生まれていることも含め、なにやら不思議な符合(ふごう)を感じる。

本阿弥光悦も俵屋宗達も尾形光琳も、まさか後世に「琳派」と称される美の系譜が見出されるとは想像もしていなかったことだろう。

光悦の縁戚にあたる光琳は宗達に私淑(ししゅく)した。その宗達は詳細不明ながら、光悦と密接不可分な創作活動で歴史に刻印されている。かくして一六一五年の「光悦村」オープンを琳派の出発点と見なし、光琳の三〇〇回忌とも重なる二〇一五年が「琳派四〇〇年」となったのだった。

メメント・モリ

本阿弥光悦とは何者なのか。

「光悦作」とされている国宝は三件。重要文化財は一九件。この人物が日本美術史上でも別格の存在であることがわかる。孫の光甫が編纂した『本阿弥行状記』や甥の息子が書いた『にぎはひ草』、本人自筆の書状など資料は数百点にのぼる。ボストン美術館東洋部長になったアーネスト・フェノロサ（一八五三―一九〇八）が「世界でも最大の芸術家の一人」[12]とまで評した人物。今では光悦に言及した書籍も少なくない。

しかし、今度はその情報の多さが、かえって光悦の像を見えにくくしている。今なお本阿弥光悦はどこか深い霧のなかに立ち尽くしていて、その素顔が見えるようで見えないのだ。

東急大井町線に乗って、二子玉川のひと駅手前の上野毛で降りる。環状八号線をわたって上野毛通りへ。ふたつ目の角を右に曲がると、細い道路の両側に豪邸が並ぶ。

しばらく進むと相当な樹齢と思われる巨木が左右から頭上を覆うようになり、左手に長い土塀があらわれる。「不老門」と呼ばれる大きな木造の門。これをさらに過ぎると、五島美術館の正面になる。

一帯の地形は、多摩川が一〇万年かけて武蔵野台地を侵食してきた国分寺崖線と呼ばれる斜面。多様な樹木が茂り、湧き水も多い。多摩川に向って景観が開けているため、富士山もよく見える。世田谷区の岡本から上野毛にかけての崖線には、二〇世紀のはじめ頃、多くの財界人たちが屋敷や別荘をかまえた。

五島美術館は、東急電鉄など東急コンツェルンを一代で築いた五島慶太（一八八二―一九五九）の邸宅の敷地内だった土地に立つ。国宝《源氏物語絵巻》など、慶太翁が蒐集した日本と東洋の膨大な古美術（国宝五件、重要文化財五〇件ふくむ）。さらに久原文庫と井上通泰氏の蔵書を基とした大東急文庫を所蔵している。

慶太翁が逝去した翌一九六〇年に落成した美術館本館は、近代数寄屋建築の名手であった吉田五十八[13]の設計。吉田は、二〇一〇年に解体された旧歌舞伎座や、外務省飯倉公館、大阪ロイヤルホテル（現リーガロイヤルホテル大阪）などで知られる。五島美術館本館は、寝殿造の意匠を随所に取り入れた鉄筋コンクリート造り。二〇一〇年から二年弱をかけ、耐震補強も兼ね、開館当時の姿をできるだけとどめて大規模改修を施した。

この改修が終わった直後、私は関係者の厚意で、美術館と庭園内を案内していただく機会に恵まれた。慶太翁の広大な邸宅の土地は、もとは台湾総督などをつとめた男爵・田健治朗の屋敷だったものだ。田男爵が一九〇六年に建て、慶太翁の時代に増築された「古経楼」や、慶太翁が建てた「富士見亭」など、ふだんは非公開の茶室内部にも入らせてもらった。

このとき、五島美術館で見た《十王(じゅうおう)》という赤樂(あからく)茶碗(口絵3)。これが、私がはっきり意識して本阿弥光悦と出あった最初だったと思う。

沈みゆく太陽を両手で包み込むような赤い球形の茶碗。それに授けられた「十王」という不吉な銘。十王とは、死後の世界で亡者を裁く一〇人の王のこと。閻魔(えんま)大王もそのひとりだ。本来の仏教に説かれたものではないが、「十王経」という偽経(ぎきょう)の流布によって、日本でも中世にひろまった。

この銘が、光悦自身によってつけられたのか、後世につけられたのかは残念ながら定かではない。茶の緑とコントラストをなすあざやかな茶碗の赤。茶を飲み干して、茶碗を拝見する客人は、亭主から思いもかけない銘を告げられて何を考えただろう。

自分の生命は、死後どう裁かれるのか。自分はこれまで、どのように生きてきたか。これからどのように生きるべきなのか。「十王」という銘は、「メメント・モリ(死を思え)」なのだ。

アップデートされる光悦

二〇一三年一〇月、この五島美術館で「特別展　光悦　桃山の古典(クラシック)」が開催された。これは、光悦が携わったとされる作品から約一五〇点を集め、最新の研究から光悦の事績と人物像を再検証しようという意欲的なものだった。五島美術館だからこそできた企画だと、美術関係者らも口をそろえた。

光悦が一六一五年に徳川家康から京都・鷹峯に土地を〝拝領〟し、そこに信仰を同じくする絵師や職人を集めて〝芸術村〟を開いたという話は、これまで自明のものとして語られてきた。

たしかに、鷹峯に彼らが土地を得て、一時期、集団生活をしていたことは、文献に照らしてもほぼ疑う余地がない。一帯には複数の日蓮宗寺院が今も残っており、それが宗教的コミュニティーの色彩を帯びていたことも事実だろう。

しかし、その土地は本当に家康から〝下賜（かし）〟されたものだったのか。言われてきたように本当に〝芸術村〟だったのか。五島美術館の「光悦」展は、そもそもこの点に検証の余地があることを示した。

実際、光悦は洛中に屋敷をかまえたままで、鷹峯と屋敷を頻繁に往復した記録が残っている。しばしば光悦にまつわる事跡の出典とされる『本阿弥行状記』『にぎはひ草』は、いずれも血縁者によって後年に書かれたものだ。五島美術館主任学芸員の砂澤祐子氏は「厳密に言えば第一次資料ではない」と述べている。

鷹峯（現在の京都市北区鷹峯）の地を拝領したという有名なエピソードも『本阿弥行状記』によるもので、幕府の公式記録である『徳川実記』には記載がない。さらにいえば、後年、光悦の子孫は、土地をめぐる裁判で負けており、家康からの朱印状のようなものもなかっ

たようである。（同展図録）

これまで光悦が豪商・角倉素庵とともに手がけたとされてきた「嵯峨本」と称される出版物についても、「誰が出版したのかはいまだにわかっていない」。『にぎはひ草』を根拠に、光悦が茶の湯を古田織部と織田有楽から学んだとされてきた通説にも、それを覆す発見があったと言及している。

本阿弥光悦については、明確にわかっていることと、じつは根拠の曖昧なもの、後世に創作された伝説が複雑に入り混じっている。本阿弥家という刀剣の鑑定やメンテナンスを家業とする一族の人間が、なぜあれほど多彩な〝余技〟で傑出した作品を世に残せたのか。

光悦が生まれたのは桶狭間の戦いの二年前。まだ室町幕府一三代・足利義輝の時代だ。彼は数え年二五歳で本能寺の変を〝目撃〟し、関白として振る舞う秀吉も見てきた。関ヶ原のときは同四三歳。一六三七年に光悦が八〇歳で没するまでに、徳川幕府は三代・家光の盤石な体制を固めきっていた。この大動乱期を、京の有力町衆であった彼はどう見つめ、どう生きたのか。

なにより、法華の信仰というものが、光悦の人生にどのような意味を持っていたのか。キーマンとなる本阿弥光悦について想像を巡らすにあたって、どうやら私は、彼ら町衆の周辺を少しばかり整理しなくてはいけなくなった。

なお「町衆（まちしゅう）」という言葉は、林屋辰三郎（はやしやたつさぶろう）氏❖[14]が「町衆の成立」（『思想』三一二号／一九五〇年）で用いたもので、二〇世紀後半に登場した学術概念だということは押さえておきたい。そのうえで本書では、この「町衆」を引き続き使うことにする。

註

1――『特別展 光琳と乾山 芸術家兄弟・響き合う美意識』図録／根津美術館

2――『写真集 美智子さま和の着こなし』週刊朝日編集部編／朝日新聞出版

3――小林太市郎「光琳と乾山」(『世界の人間像』第七巻／角川書店)

4――憲王（徳川綱吉)・文王（徳川家宣)・章王（徳川家継）の事績を記した史書。著者は東武野史訒洋子という筆名だが儒学者・太宰春台（一六八〇―一七四七）と考えられている。

5――鈴木則子「元禄期の武家男色――『土芥寇讎記』『御当代記』『三王外記』を通じて」(『同性愛をめぐる歴史と法　尊厳としてのセクシュアリティ』三成美保編著／明石書店)

6――表章・天野文雄『能楽の歴史』岩波書店

7――塚本学 校注『御当代記』平凡社。同書は歌学者・戸田茂睡（一六二九―一七〇六）が記した一六八〇年から一七〇二年までの見聞記録。茂睡の見聞した諸事件について批判をまじえつつ詳細に編年体で記述している。塚本は他の記録文書と照合しても「本書の記述内容は、かなり高い信憑度を認めることができるのである」としている。

8――「最晩年の壮絶と新たな謎」内田篤呉×山下裕二×河野元昭（『芸術新潮』二〇〇五年一〇月号）

9――日蓮（一二二二―一二八二）の教えを信奉する門流は一般的に日蓮宗と総称されるが、法華経を教えの根幹にすることから中世においては法華宗と呼ばれることも多かった。日蓮自身の遺文には法華宗という自称が百数十あって、日蓮宗という単語は見あたらない。もともとは法華経を根本とする天台宗を「法華宗」と呼んでいた。室町期に京都に日蓮門流が本格的に進出すると、その僧俗を「法華衆」

と呼ぶようになった。やがて各門流が確立した頃、日蓮門下は「法華宗」と呼称されるようになった。本書では広く日蓮の教えを信奉する人々を指す言葉として使用する。

10――林進「光琳を検証する――光琳は、なぜ宗達画、宗達関連資料の模写をおこなったのか――」(『美術史論集』第一七号／神戸大学美術史研究会／二〇一七年)

11――岩田重則「「葬式仏教」の成立」(『新アジア仏教史13　日本III　民衆仏教の定着』佼成出版社)

12――『東洋美術史綱』森東吾訳／東京美術

13――吉田五十八(一八九四―一九七三)は昭和を代表する建築家のひとり。一九二三年に東京美術学校建築学科を卒業。欧米留学をしたのち、伝統的な数寄屋建築を現代化した独自の作風を確立した。

14――林屋辰三郎(一九一四―一九九八)は昭和・平成期の日本史学者。京都大学名誉教授、元・京都国立博物館館長。専門は中世史、芸能史。主な著書に『歌舞伎以前』『中世文化の基調』『中世芸能史の研究』『光悦』『古典文化の創造』『日本・歴史と文化』(上下)『日本芸能史論』(全三巻)『日本史論聚』(全八巻)など。

第2章

茶の湯の成立

室町時代のゴージャス

「チャ」系と「テ」系

吉川英治の『三国志』は、若い日の劉備（りゅうび）が洛陽船（らくようせん）から茶を買い求める場面ではじまる。茶の原産地は、中国の雲南（うんなん）省周辺の山岳地帯。そこから長江（ちょうこう）流域の四川（しせん）や、珠江（しゅこう）流域の広東（かんとん）にもたらされた。今日では世界の広い地域で飲まれている。おもしろいことに、その呼び方はおおむね「チャ」系と「テ」系の二系統に分かれる。

朝鮮、モンゴル、チベット、タイ、インド、ロシア、ペルシャ、トルコ、アラビアなどは「チャ」系統。これは早い時期に陸路で茶が伝播（でんぱ）し、広東語の「cha」が伝わったからだろうと言われている。日本は海を隔てているが、この時代の「cha」が伝わった。現代の中国語でも「茶」の発音は「chá」と発音する。

一方、マレーシア、スリランカ、イギリス、イタリア、フランス、オランダ、デンマークなどは「テ」系統。これは大航海時代に福建（ふっけん）の厦門（あもい）あたりから海路で茶が輸出された地域と重なる。厦門の方言の「te」がひろがった。スペインが「té」なのに隣接するポルトガルが「chá」なのは、広東のマカオがポルトガル領だったからだそうだ。

日本には、おそらく八世紀のうちに遣唐使船によって茶がもたらされた。平安時代、喫茶の文化は主に寺院でひろがっていく。鎌倉時代末期から室町時代初期になると、今度は「闘茶（とうちゃ）」が登場する。複数の茶を飲み比べて、産地や種類を当てる賭けごと。宋（そう）代の中国に起源を持つものだ。

一三三四年（もしくは三五年）に京・二条河原に掲げられた「落書」には、〈此頃都ニハヤル物〉として、〈茶香十炷ノ寄合モ　鎌倉釣ニ有鹿ト　都ハイト、倍増ス〉とある。

建武の新政[1]によって武士たちが上洛し、鎌倉で流行っていた茶や香の種類を当てる賭けごとの寄合が、今や京の都でも大流行している――と。

将軍家の喫茶

私たちがごく自然にナショナル（日本的）なものと感じている美意識。それは、じつにインタナショナルな融合のなかから立ち上がっている。

二〇一九年の夏。私は福岡出張の合間を縫って、土砂降りの雨のなか太宰府に向かった。九州国立博物館が企画開催した「室町将軍」展を見るためだ。

室町将軍は、鎌倉幕府から継承した武家文化をベースに、平安時代以来、京都で温存されてきた伝統的な公家文化と、東アジアとの交流によってもたらされた大陸文化を積極的に受容して複合させ、新たな美の価値観からなる室町文化を築き上げた。（一瀬智・同館主任研究員／同展図録）

室町将軍家（室町殿）は、明や朝鮮との貿易で多くの工芸品を輸入した。荷が揚がる港は博多や兵庫津、堺。ちなみに、日本からの輸出品には刀剣が多く含まれている。琉球から輸入した香料も日本から明への輸出品になった。

三代将軍・足利義満（一三五八―一四〇八）は明の永楽帝から[2]「日本国王」に封じられ、「勘合」[3]を得た。この勘合貿易によって、将軍家は莫大な財と唐物[4]を独占した。足利将軍が明王の臣下として朝貢する貿易なので、関税もかからず輸出品よりも輸入品の価値のほうが大きかったと言われる。四代の義持はこれを屈辱と感じて明との国交を絶ったが、六代義教が一四三三年に貿易を復活させた。

かの有名な曜変天目（口絵4）は建盞（福建省の建窯で焼かれた茶碗）。現存する曜変天目は世界に三点しかない。京都・大徳寺龍光院、大阪・藤田美術館、東京・静嘉堂文庫美術館が所蔵し、いずれも国宝に指定されている。

こうした大陸文化の媒介となったのが禅僧たちだった。[5]鎌倉幕府が滅んだあと、後醍醐天皇（一二八八―一三三九）は京都に渡来僧を招き、自身が帰依する大徳寺を五山の第一とした。以後、五山となる寺院とその序列は何度か改定されるが、室町幕府の宗教政策に継承されていく。

室町殿の御所で注目されるのは会所であり、もともとは奥向きの場とはいえ公家・武家・僧侶など賓客との対面に使用された。寝殿が院御所を規範とした公家社会の故実に縛られた空間であるのに対して、会所は室町殿独自の文化的営みが発揮される場であった。会所は公家邸や顕密寺院のなかにも造られていくが、これら会所の文化について室町殿の影響はきわめて大きく、室町文化の表象の場であったともいえよう。（原田正俊「室町文化と仏教」『躍動する中世仏教』佼成出版社）

この会所と呼ばれる接遇空間には、将軍家が蒐集した御物が飾りつけられ、それは禅僧たちや同朋衆❖6によって室礼として定式化していく。

今日、私たちの知る「茶の湯」は、釜と茶道具が同じ座敷内に置かれ、亭主が客と相対して点前をする形式のもの。しかし室町将軍家の喫茶は、別室で同朋衆によって建盞に点てられた茶が、ゴージャスな唐物の調度で飾り立てられた会所に運ばれて飲まれるものだった。

喜びて茶を啜る

八代将軍を退いた足利義政（一四三六―一四九〇）が移った東山山荘の持仏堂「東求堂」には、炉が切られた同仁斎という小書院❖7がある。これを最初の茶室と見なして〝茶の湯の成立〟とする説もあった。

だが実際には、それらより早く、茶の湯は人々のあいだにひろがっていたようだ。

寺社の門前で営業する茶屋のほか、担い茶といって、茶道具一式を担いで客の求めに応じ路傍で茶を点てる行商人もいた。[8]

一四四三年に朝鮮通信使の書状官として京都を見聞した申叔舟は、一四七一年に成宗王に提出した記録『海東諸国記』に、「人は喜びて茶を啜る、路傍に茶店を置きて茶を売る、行人銭一文を投じて一碗を飲む」と記している。

これは、《観楓図屏風》（狩野秀頼）などに描かれた「一服一銭」の担い茶を指しているのだろう。

> 茶の湯の存在をうかがわせる最初の史料は、文明十六年（一四八四）八月十三日付で法華宗（日蓮宗）の日親が定めた『本法寺法式』（仮名書き）のようだ。（神津朝夫『茶の湯の歴史』角川選書）

本法寺は本阿弥家が大檀越をつとめる同家の菩提寺。開山した日親は[9]、本法寺の僧侶が守るべき規則として、謹慎中の僧が「茶湯等賞翫」をしてはならないと定めた。

応仁の乱の終息から七年。すでに一四八四年時点で、本法寺の僧のあいだでもそれほどまでに〝茶の湯の寄合〟が流行していた。義政が東山山荘に移ったのは、この『本法寺法式』制定の翌年なのだ。

「東山文化」というくらい、義政は文化の庇護者として知られる。しかし義政が将軍に就いた当時、もはや幕府の財政は傾いていた。京都の土倉（金融業者）からの借金や酒屋からの納税で支えられていたのだ。背に腹は代えられず。将軍家秘蔵の「御物」が、後藤家など有力町衆に流出することになる。

さらに義政は「勘合」の権利を有力寺社や大内、大友、細川など大名に売って、堺や博多の商人を介した貿易の利益の一部を上納させた。こうして唐物名物は、もはや将軍家の独占物ではなくなっていく。室町期の後半、有力大名や堺、奈良、博多の豪商たちのあいだでは茶会が盛んにおこなわれた。いわば、唐物名物を用いたセレブな社交だ。

これに対し、のちに「わび茶」と称されることになるミニマルな茶の湯が一方で生まれた。「わび茶」の創始者とされているのが珠光（一四二二年頃—一五〇二年）。彼は一一、二歳の頃に奈良の浄土宗称名寺に出家し、生涯を草庵で暮らす遁世者として過ごしている。

和漢の境をまぎらかす

珠光の筆とされる《古市播磨法師宛一紙》[10]。ただし、これが珠光のものだという確証はない。それでもこれは今日も茶道界で「心の師の文」と呼ばれ、茶の心得として知られている。

一般の僧侶や町人は、大名や豪商のように高価な唐物ばかりを揃えることはできない。なので、唐物と和物の道具をうまく取り合わせる必要がある。《古市播磨法師宛一紙》には、「この道の一大事は、和漢の境をまぎらかす事、肝要肝要、用心あるべき事也」とある。続けて、備前焼や信楽焼といった「和物」に言及している。

また、当時、冷え枯るると申して、初心の人体が、備前物、信楽物などを持ちて、人も許さぬたけくらむこと、言語道断也。枯るるということは、よき道具を持ち、その味わいをよく知りて、心の下地によりて、たけくらみて、後まで冷え瘦せてこそ面白くあるべき也。また、さはあれども、一向かなわぬ人体は、道具にはからかふべからず候也。如何ようの手取風情にても、歎く所、肝要にて候。ただ、我慢我執が悪き事にて候。または、我慢なくてもならぬ道也。

銘道にいわく「心の師とはなれ、心を師とせざれ」と古人もいわれし也。

〝近頃、「冷え枯れる」境地だなどと称して、初心の者が備前焼や信楽焼を使って、誰も認めていないのに最高位の境地になったようにうぬぼれるなど言語道断である。「枯れる」というのは、よい道具を持ち、よさを味わい、深い心地ができたあとの「冷え痩せ」た境地こそ興が深い。粗末な道具しか持てない者は、道具で張りあうべきではない。取っ手付きの釜しか持てない者は、それを嘆く気持ちが肝心だ。一方で、自分の持っている道具に満足する気持ちがないと茶の湯は成立しない。〞大意はこういうことだろう。

「たけくらむ」は、世阿弥の伝書『至花道』にある最高の芸位「闌位」を踏んだ言葉だ。「闌」は「たけなわ」とも読む。今日でも最高潮という意味で使われる。「よき道具」を重視しつつも、それがあっても慢心せず、なくても揺らぐことのない自制心。これが茶の湯の肝要だと述べているのだ。

自己を統御する力

そのように説いて、最後に肝に銘ずべき言葉として「願って心の師となるとも心を師とせざれ（願作心師、不師於心）」という大般涅槃経の文を置いている。書状が「心の師の文」と呼ばれる理由だ。

この涅槃経の一句は、天台僧で浄土教の祖師のひとりと崇められる恵心僧都源信の『往生要集』に引かれたことで、中世には広く知られていた。日蓮も、この涅槃経の一句を門下への書簡で幾度か引いている。自己を統御する力こそが、艱難を乗り越え、人格を完成させていくカギなのだと。

珠光が養子とした宗珠は、京都・大徳寺の禅僧となった。のちに下京四条に草庵をかまえて「茶の湯」をしたことが連歌師・宗長の日記などに記されている。大徳寺の住持にも任命されたことがある一休宗純と珠光には、おそらく交遊があった。しかし、珠光が一休宗純から禅を習ったという話は後世の伝承であり、同時代の史料はない。

臨済宗の大徳寺は、その後「茶の湯」と深いかかわりを持つ。とはいえ「茶の湯」の成立を、安易にすべて禅の思想に委ねてしまうことには慎重であるべきだろう。なにより《古市播磨法師宛一紙》にある「冷え」「枯るる」は、連歌や能の美意識なのだ。

> ここでは茶の湯の理念が、連歌や能の用語を使って説明されているだけで、禅の思想がまったくあらわれていないことが注目される。（前掲『茶の湯の歴史』）

「和漢の境をまぎらかす」ことも、当時の連歌の世界ではすでに「和漢連句」という流行のスタイルがあった。平安朝と近世をつなぐ文芸／コミュニケーションとしての連歌。そして能楽は室町幕府の庇護のもと、連歌と密接なところで成立した。

茶の湯とミサ

今から五〇〇年前の一五二二年、堺の商家にひとりの男児が生まれた。田中与四郎（一五二二―一五九一）。一〇代から茶の湯をはじめて田中宗易と名乗った彼が、利休という居士号を得るのは晩年のことだ。ここでは、わかりやすく「利休」で統一したい。

イエズス会宣教師フランシスコ・ザビエルが堺に入った一五五〇年、利休はまだ二〇代の青年だった。同じくイエズス会宣教師のガスパル・ヴィレラが一五六一年に堺からインドへ発した書簡には、

堺の町は甚だ廣大にして大なる商人多数あり。此町はベニス市の如く執政官に依りて治めらる。（村上直次郎訳『耶蘇会士日本通信』聚芳閣）

と記されている。

堺の豪商のなかにはキリスト教に改宗し、自邸内に教会堂（南蛮寺）を建てる者もいた。あるいは豪商たちが邸内に持つ茶室を〝祈りの場〟に用いる宣教師もいた。狩野内膳の《南蛮屏風》には十字架を掲げた南蛮寺が描かれている。利休がこうした宣教師たちと接触し、ミサを目撃していた可能性は大いにあるだろう。

茶の湯とミサの類似点については、以前からさまざま指摘されている。武者小路千家一五代家元後嗣の千宗屋氏にも、「茶とキリスト教」と題する一文がある。

> 茶の湯とキリスト教にはいくつか共通点が指摘されています。たとえば、一つの茶碗を数人で回し飲みする濃茶の作法は、キリスト教のミサにおける聖体拝領としての葡萄酒の分かち合いに通じると。単なる飲食を超え、自然の恵みや神の恩恵に感謝する祈りを込めた儀式性が感じられます。また茶巾で茶碗を清めるしぐさは、司祭がカリス（聖杯）をぬぐう所作に似ていると言われます。そのほか、路地のつくばいが洗礼盤のもじりではないか、などという真偽のほどは疑われる説も存在します。（『茶味空間。茶で読み解くニッポン』CASA BOOKS）

ちなみに、利休の高弟として記録された武将茶人・高山右近は、キリシタンとして生涯をまっとうした。

当時のイエズス会宣教師たちは日本の「茶会」に関心を示し、実際に茶を飲み、書簡や記録にも多くの記述がある。ところが、不思議なことにミサとの類似については誰も記していないのだ。茶の湯とミサとの類似性に、なぜ宣教師たちは誰ひとり言及していないのだろう。

一五七九年に来日した巡察師アレッサンドロ・ヴァリニャーノは、「茶の湯の精神性にも注目し、これをイエズス会の宣教方針に導入していた」（スムットニー祐美『茶の湯とイエズス会宣教師 中世の異文化交流』思文閣出版）。ヴァリニャーノは、すべての修道院に茶室を設置し清潔に保つよう指示する規則書を発している。

茶の湯とミサの類似性に関してスムットニー祐美氏は、ヴァリニャーノの来日時期（一五七九年～八二年、一五九〇年～一六〇三年）が、利休が茶の湯を改革していく時期と重なっていることを挙げ、彼が利休を注視していたことも自然だと述べている。そのうえで、ミサと茶の湯の作法に関係性はないだろうという見解を示している。

> ミサの所作と茶の湯の作法とが何らかの形で影響を与えていたのであれば、このことをヴァリニャーノが規則書や報告書のなかで取り扱わないはずがない。（「ヴァリニャーノの宣教方針と利休のわび茶」）[11]

考えられることはただひとつ。少なくとも宣教師たちがたびたび体験した茶の湯の作法は、その時点ではミサを連想させるものではなかったからではないのか。

利休の師

利休が生まれる二〇年前。つまり「わび茶」の祖とされる珠光が没した一五〇二年。その年、武野紹鷗（一五〇二―一五五五）が堺の商家に生まれている。やがて堺の豪商茶人となり、利休の師となったとされてきた人物だ。

　この〝紹鷗が利休の師〟という従来の通説は、はたしてそのまま受け入れてよいのだろうか。神津朝夫氏は著書のなかで疑問符を投げかけている。

　理由として、まず利休が紹鷗に師事したと記す最初の文献は、利休の死後六〇年も経てから曾孫の江岑宗左（表千家四代）が紀州徳川家に出した『千利休由緒書』であること。だが、この書物では紹鷗についての記述に基本的な誤りがあまりに多いという。そうなってくると、紹鷗が利休の師であるという記述の信憑性が大きく揺らいでくる。

　さらに神津氏によれば、利休の高弟・山上宗二が利休の生前の一五八八年に記した『山上宗二記』に、利休が紹鷗に師事したという記述がまったくない。あるいは利休が紹鷗から聞いたという話も一切出てこない。そして、紹鷗が所有していた茶道具を、利休はひとつも所持していない。これまでの通説とは異なり、紹鷗の茶は、じつは利休の茶と異なるスタイルだった。

　紹鷗の茶の湯は、わび茶とは逆に、室町将軍家の愛好した高価な輸入品である唐物茶道

具を茶会に積極的に持ち込むものであった。（神津朝夫『千利休の「わび」とはなにか』角川選書）

従来の利休像を主に支えてきたのは『南方録』（利休に師事した禅僧・南坊宗啓が利休から直接聞いた内容を書きとどめたとされる書物）だった。しかし、その内容には、利休の当時は使われていなかった用語が記載されるなど、数々の矛盾や不自然さがある。

今日では『南方録』は約一〇〇年後の一六八四年に刊行された『堺鑑』をタネ本とする〝偽書〟と見なされている。もはや一次資料としてそのまま使うことはできない。

では、千利休の本当の師は誰だったのか。ここで浮上してくる人物として神津氏は辻玄哉を挙げている。『山上宗二記』には、

玄哉は紹鷗一の弟子、小壺大事一人に相伝なり。

とあり、そのうえで

紹鷗辻玄哉に申し渡され候のよし、宗易、拙子にも相伝の時申し聞かされおわんぬ。

とある。茶の湯の奥義である「小壺大事」は、武野紹鷗から辻玄哉に相伝され、それは玄哉から宗易（利休）へ、利休から宗二へと相伝された。そのように『山上宗二記』は語っているのだ。

辻玄哉の実家は正親町天皇の内裏近くの新在家中町で、禁裏の呉服の御用をつとめていた。当然、相応の財力とネットワークを持っている。玄哉は茶の湯だけでなく連歌の才にも秀でていた。三条西家や近衛家など公家、大覚寺や聖護院の高僧、三好長慶、細川藤孝、明智光秀らの武将、津田宗及、今井宗久ら茶人と、しばしば連歌会で同席していた記録が残っている。そして、玄哉は日蓮宗・本圀寺の大檀越だった。

「名物」の旧蔵者と時価

一五六八年九月。織田信長は足利義昭を奉じて上洛した。翌一〇月、義昭は朝廷から一五代将軍の宣下を受ける。義昭は足利幕府の最後の将軍となった。

年が明けると、信長は今井宗久や松井友閑らを介して堺の支配に乗り出す。堺は世界との玄関口であり、莫大な富と最新の文化を蓄える経済都市だった。

この一五六九年四月、ふたつの出来事が記録されている。

ひとつは、二条城の建設現場で、信長がイエズス会宣教師ルイス・フロイスと対面したこと。フロイスは著作『日本史』に、信長の印象を詳細に著述している。

> 彼は中くらいの背丈で、華奢な体軀であり、髯は少なくはなはだ声は快調で、極度に戦を好み、軍事的修練にいそしみ、名誉心に富み、正義において厳格であった。
>
> （中略）
>
> 彼が格別愛好したのは著名な茶の湯の器、良馬、刀剣、鷹狩りであり、目前で（身分の）高い者も低い者も裸体で相撲をとらせることをはなはだ好んだ。（松田毅一・川崎桃太訳『フロイス日本史四』中央公論社）

もうひとつの出来事。それは〝名物の蒐集〟だった。信長は京都町衆の富豪らが持つ名物の茶道具を手に入れた。

東山御物で天下三肩衝のひとつとされた茶入れ「初花肩衝」。天下の三茄子と言われた大名物「富士茄子」。法王寺が所有していた「竹の茶杓」。池上如慶が所有していた「蕪なしの花入」。佐野家が所有していた元代の玉澗作の「平沙落雁図」。江村栄紀が所有していた「桃底の花入」。いずれも当時の取引相場で一品が一〇〇〇貫以上の値が付くものだった。

奈良大学学長などをつとめた歴史学者の藤井学氏によると、本能寺が天文法華の乱（一五三六年）のあとに京都の〃都心〃に三六〇〇坪の土地を買った代金が九九貫文だったそうだ（『本能寺と信長』思文閣出版）。この頃の名物が、どれほどの高値で取引されていたか。そして、当時の京都町衆の富裕層がどれほどの財力を持っていたかを示して余りある。


藤井氏は同書で、これらの所有者が誰であったかも史料に基づいて推定した。

「初花肩衝」は法華衆の豪商・大文字屋宗観。

「富士茄子」はおそらく京都の名医・祐乗坊。

「竹の茶杓」を持つほど財力があった法王寺とは本能寺のほかにあり得ない。

「蕪なしの花入」の池上如慶とは、法華衆が多く住む新在家の町衆。

「平沙落雁図」の佐野家は日蓮宗・立本寺の大檀越である豪商。

「桃底の花入」の江村栄紀は、利休の師と思われる辻玄哉の実兄であり日蓮宗・本圀寺の大檀越で新在家の町衆。

つまり、祐乗坊のほかは、すべて法華の僧と俗ということになる。

信長は不粋な〃尾張の田舎大名〃などではなかった。彼の父・信秀は「篠耳杓立」「牧谿の山市晴嵐」を所持していた。これらは信長の手に渡り、信長自身も「古銅水次」、おそらく父から譲り受けた「姥口釜」を持っていた。信長には名物の茶道具を見る眼があったのだ。[12]

ちなみに信長の弟のひとり長益は利休に師事した武将茶人。有楽斎如庵と号し、その茶は「尾州有楽流」として現代まで伝わっている。

「本能寺の変」で消えた名物

信長が義昭を奉じて上洛した直後に集めた「名物」。重視したのは、その来歴だった。この名物の蒐集は「名物狩」と称される。ただし、そのネーミングは昭和の戦後になってからのもの。竹本千鶴氏は、

> 信長は、統一政権形成の過程で茶湯による饗応の場を政治の場に転用するための室礼を必要とし、自らのものさしで名物茶器を厳選したのである。
> （中略）
> 道具の説明が不可欠という茶会の作法に準じて、茶会にしつらえた名物茶器の入手経緯や由来を語り聞かせることにより、信長は茶会に招待した客を威圧し、織田政権への服属を客の視覚にうったえることが効果的であると考えたのではなかろうか。（『織豊期の茶会と政治』思文閣出版）

としている。

もちろん旧蔵者として信長は逆らい難い相手ではあっただろう。それでも、蒐集は相応の金銀を支払っての商取引だったと思う。

来歴と入手経緯こそが、信長の権威を裏付ける。仮にも〝強奪〟に近い強制接収だったならば、それはむしろ信長の権威の正統性を貶めるものになってしまうからだ。

彼はその後も名物の蒐集に余念がなく、恭順を示した大名からも名物を献上させた。逆に一五八一年に秀吉が鳥取城を攻略した際は、褒美(ほうび)として一二種類の名物茶道具を下賜したとされている。本能寺の変で倒れた最後の上洛時も、名物を披露する大茶会を催すため大量の茶道具を本能寺に運び込んでいた。それらは炎のなかに消えた。

一五六九年の「名物狩」のうち、六点中五点までが法華僧俗の所有物だったこと。これは何を物語っているか。当時の京都の法華衆が圧倒的な財力を持っていたこと。そしてなにより、茶の湯そのものにおいても、法華衆が大きな存在感を持っていたことだ。

安土桃山時代の茶の湯の成立の歴史では、大徳寺の禅が果たした役割ばかりが強調されるが、実際に史実を検討すると、少なくとも京都において、法華の町衆茶人の活躍の方がはるかに強烈だったと考えてよいと思われる。（藤井学『本能寺と信長』思文閣出版）

本能寺の変は、信長だけでなく、彼が蒐集した最高峰の名物道具の数々を地上から消し去った。そして、この事変がきっかけとなって天下人の座が秀吉に移る。同時にそれは、唐物名物を使ったゴージャスな紹鷗の茶の湯の時代から、利休の「わび茶」の時代への転轍点（てんてつてん）となった。

本能寺の変があった一五八二年六月。秀吉は即座に「山崎の合戦」で明智光秀を討ち、そのまましばらく山崎に陣取った。東海道新幹線で京都から新大阪に向かう途中、車窓の山麓にウイスキー工場が見える。あのあたりが大山崎。八月、秀吉は山崎に千利休を呼ぶと、そこに茶室をつくるように命じた。

わずか二畳という、かつてないミニマルな茶室。「待庵（たいあん）」の呼び名で知られる国宝の妙喜庵だ。足軽出身の秀吉もまた、主君・信長から「茶の湯」が持つ影響力を学びとっていた。

註

1――鎌倉幕府が滅亡したあと、一三三三年から一三三六年まで後醍醐天皇によっておこなわれた天皇親政。

2――中国、明朝第三代の皇帝（在位一四〇二―一四二四）。明朝を興した太祖洪武帝の第四子。太祖の後を継いだ建文帝から位を奪って帝位につき、国都を北京に移した。シベリアや樺太、ベトナム地方まで支配下に置き、鄭和の大船団を七度も南方に出して、東南アジア、インド洋、ペルシャ湾、アフリカ東海岸の三十数カ国と交易をおこなった。永楽帝によって明は一五世紀初頭、中国史上でもっとも活気に満ちた時代を迎えた。

3――一四世紀末から一六世紀に、明とアジア諸国とのあいだで勘合船を通じておこなわれた公式の貿易。勘合とは、明国が海賊船や密貿易を防ぐために作製し、シャムや日本など交易国に与えた割符。日本の場合、「日」と「本」の二字に分けて各百通をつくって縦に折半し、日本側が保有する勘合と明側が保有する勘合底簿で照合した。

4――「からもの」あるいは「とうぶつ」。日本で珍重された中国船来の文物。

5――原田正俊「室町文化と仏教」（新アジア仏教史12『躍動する中世仏教』佼成出版社）

6――もともとは阿弥号を持った時宗（じしゅう）の徒で文芸や芸能をもって武家に仕えた。室町幕府でも唐物など調度品の出納管理にあたっていたが、やがて鑑識眼を持って室礼や喫茶などを担当し、幕府の職制に地位を占めるようになる。足利義持・義教の時代に制度が確立。

7――母屋から張り出した部屋。小さな書院。

8――本章で記述した茶の湯の歴史については、神津朝夫氏の『茶の湯の歴史』『千利休の「わび」とはなにか』(ともに角川選書)を参照した。

9——日親(一四〇七—一四八八)は室町時代の日蓮宗の僧。一四三六年、京都に本法寺を創建した。本法寺はたびたび破却されたが本阿弥家の帰依を受けて再建されている。

10——珠光が古市播磨澄胤(ふるいちはりますみたね)に宛てて書いたとされる茶の湯伝授の一紙。

11——スムットニー祐美「ヴァリニャーノの宣教方針と利休のわび茶」(『日本研究』六二巻(国際日本文化研究センター/二〇二一年)

12——石塚修「堺と茶の湯 虚像編」(『信長徹底解読ここまでわかった本当の姿』堀新・井上泰至編/文学通信)参照

第3章

利休と法華

茶の湯と法華の意外なつながり

黄金の茶室

織田信長は足利義昭を奉じて上洛した翌一五六九年、堺の支配に乗り出した。

このとき、信長は堺を代表する三人の茶人を自分の「茶頭」に任じている。今井宗久、津田宗及、田中宗易（千利休）だ。信長は自身の権威の正統性を、室町将軍家などに来歴のある〝名物茶道具〟で演出した。

本能寺の変で信長が自刃したあとに後継者となる豊臣秀吉。彼もまた自分の権威化とその正統化に、茶の湯を重視した。一五八二年六月、本能寺の変の直後、秀吉は陣のある山崎に茶室「待庵」をつくるよう利休に命じている。信長が抱えていた三人の茶頭は、そのまま秀吉の茶頭となった。ただし序列が変わり、利休が筆頭となる。

一五八三年、秀吉は石山本願寺[1]の跡地に大坂城の築城をはじめる。その天守閣を擁する本丸の一段下に「山里丸」と名づけた曲輪を設けた。松、桜、藤などの樹木が植えられ、二畳の茶室、三畳の茶室と、趣の異なる茶室もある庭園空間。軍事要塞である大坂城のなかで、山里丸は秀吉が家族とひと息つける憩いの場であり、接遇用の施設でもあった。

まだ天守閣も完成していない一五八四年正月、秀吉は山里丸の茶室を披露する茶会を催している。同年一〇月には、さらに大々的な茶会が開かれた。

利休は秀吉の命で、この山里丸に茶室をつくっただけでなく、茶庭としての露地もつくっている。これ以降、利休は自分の美意識で新しい茶道具をつくり出していく。

このとき、すでに利休は還暦を過ぎていた。そして、秀吉から切腹を命じられるのが数え年七〇歳の一五九一年。一〇代から茶の湯の道を歩んできた利休は、晩年の数年間で自分の茶を花開かせた。なお、一六一五年の大坂夏の陣では、秀頼と淀君はこの山里丸で最期を遂げている。


一五八五年一〇月、秀吉は利休を伴って正親町(おおぎまち)天皇のもとへ参内(さんだい)した。秀吉の茶頭とはいえ町人の身分では宮中に参内できない。そのため、秀吉の計らいで「利休」という居士号が勅賜された。正確にはここから田中宗易が千利休になる。

翌八六年正月の宮中の献茶の際に、秀吉は組み立て式の「黄金の茶室」を用意した。これを御所に運び込んで設置し、すべて黄金づくしの道具で茶を点てたのだ。秀吉はこの「黄金の茶室」を各地の戦場にも運び込んでいる。

この「黄金の茶室」を復元したものが、熱海のMOA美術館に常設されている。金箔と猩々(しょうじょう)緋(ひ)をあわせたMOA美術館の茶室を実際に見ると、悪趣味どころかとても妖(あや)しく美しい。小御所の室内に仮設された異次元空間の「黄金の茶室」は、天皇をそのなかに招き入れるだけの不思議な魅力を持っていた。猩々緋とは、猩々という猿に似た伝説上の生きものの血の色という意味。ヨーロッパ人によってもたらされた毛織物に使われていたこの色彩は、武家のあいだで流行した。

以後、利休の地位は揺るぎないものになる。北野大茶会[2]を取り仕切り、秀吉の新しい住居として京都に聚楽第(じゅらくだい)が落成すると、利休もそのすぐそばの聚楽第屋敷に住んだ。

本能寺の円乗坊宗円

ところで、利休にも〝法華〟と交錯する痕跡がいくつか見えてくる。利休の師が辻玄哉(つじげんさい)であった可能性は先に触れた。辻玄哉は京都の新在家(しんざいけ)中町に住む法華衆で、本圀寺(ほんこくじ)の大檀越(だんのつ)だった。

玄哉が住んでいた上京の新在家町の住民は、ほとんどが法華宗徒であり、同じ町に住む実兄で茶人でもあった江村栄紀と玄哉は、ともに六条堀川にあった本国寺の檀那だったのである。玄哉とその一族・子孫は、法華宗においても大きな存在であった。

しかもこの時代、京都の僧俗の法華宗徒は多くの名物茶道具を所持し、盛んに茶の湯を行っていた。(神津朝夫『千利休の「わび」とはなにか』角川選書)

神津朝夫氏はさらに、千家の宗旨についても次のように推論している。

千家も家の宗旨は法華宗だった可能性が高い。宗易の先妻である宝心妙樹が天正五年（一五七七）に亡くなったとき、実子道安は法華経を写経して供養している（春屋宗園『一黙稿』）。千家とは親族関係とみられる田中宗慶の樂家は今も法華宗であり、当時の法華宗の史料に宗慶の名も残っている。利休の妹が嫁いで初代宗栄を産み、その後今日まで千家と深くかかわる表千家の久田家も法華宗である。（神津朝夫『茶の湯の歴史』角川選書）

織田信長がしばしば京都での宿所にし、予期せぬ最期を迎えた本能寺。法華宗（日蓮宗）の有力寺院だった本能寺の高僧のひとりに、円乗坊宗円という者がいた。

秀吉が大坂城山里丸で開いた一五八四年一〇月の茶会。記録によれば、細川幽斎、今井宗久、津田宗及、千紹安、山上宗二、万代屋宗安、古田織部、芝山監物、高山右近ら当代一流の茶人たちが招かれた。それら招待客のなかに法華僧として唯一、円乗坊宗円の名が登場する。

本能寺の変が起きる一〇年前の一五七二年正月。堺の豪商茶人であった津田宗及は、ただひとりの客だけを招く一客一亭の茶事をおこなっている。じつは、この茶事の客が円乗坊だった。これ以降、円乗坊の名は重要な茶会記にしばしば登場する。

歴史学者の藤井学氏は、

茶の湯の勃興期、茶の湯の世界で、超一流の存在であった円乗坊宗円（『本能寺と信長』思

文閣出版）

と記している。

藤井氏の著作を手がかりに、ここから少々、円乗坊の姿を追ってみたい。

円乗坊宗円は本能寺の高僧であり、同時に信長が畿内を制した時期から茶人としても最高峰の一角にいた。

一五八一年二月。円乗坊が亭主となり、山上宗二と天王寺屋宗及（津田宗及）を招いて茶会を開いている。このときに披露されたのが、円乗坊が利休から買った名物の茶壷だった。円乗坊はこれを「金子三枚」という大金で利休から入手した。

三年後の山里丸での茶会に招かれた際には、秀吉に対し、それ相応の献上品を奉じたはずだ。円乗坊宗円は相当な財力を持っていたと想像できる。

受取人の秘密

この円乗坊宗円という法華僧は、ここから利休ときわめて親密な関係になっていく。

ある年の六月、京都所司代の前田玄以が利休に「生鮎一〇〇匹」を届けた。このときの利休から玄以への礼状がある。前田が京都所司代に就くのが一五八三年なので、あるいは利休が京都に聚楽第屋敷を持った一五八七年以降の数年間の出来事だろう。

円乗坊まで尊書ならびに生鮎百、拝領。過分至極に存じせしめ候

これが礼状の冒頭。利休に届けられた生鮎は、円乗坊が受け取っているのだ。生鮎という鮮度が命の贈答品であるから、円乗坊と利休の住居に距離があったとは考えにくい。礼状には、さらにこのような文章が続く。

円、存知のごとく爰元(ここもと)に忍び居り申し候

どうやら円乗坊宗円は、このとき利休の邸内で人目を忍んで生活していた。京都の行政と治安を預かる所司代の前田玄以は、そのことを「存知」している。しかも、所司代から届いた贈答品を、利休に代わって受け取るだけの立場に円乗坊はいた。

利休の礼状には、円乗坊の同居が「忍び居り」なので、彼を代理として御礼言上(おれいごんじょう)には行かせられない旨が続く。本能寺の法華僧で有力茶人でもあった円乗坊宗円は、利休の最晩年、本能寺を離れて利休と同居していたのだ。

熊本に「肥後古流」と呼ばれる茶道の流派がある。利休七哲のひとりだった細川忠興が、利休の正伝を途絶えさせないように自藩に茶の文化を興したもの。

古市流、小堀流、萱野流の三家として伝えられてきたが、これら三家の淵源は円乗坊宗円なのだ。伝書には、円乗坊宗円が利休の娘婿となった事実が記されている。古市流の始祖・古市宗庵の妻は、円乗坊宗円の娘。つまり、利休の孫にあたる。

前田玄以が利休に「生鮎」を届けた頃、なぜ円乗坊宗円は利休の屋敷で秘密裏に暮らしていたのか。このとき、すでに宗円が還俗していたかどうかはわからない。しかし利休の娘と親密な関係であり、利休と宗円それぞれの社会的立場から、世間の目を忍ぶ必要があったのだろう。利休と円乗坊宗円は、親子あるいは親子同然の関係になっていた。

ところで、円乗坊宗円という名をよく見ると、「円」という文字が最初と最後に二回出てくる。藤井氏によると、彼が当時、円乗坊と呼ばれていたことは疑いがない。ただし宗円という名は古市流の伝書に登場するもので、円乗坊がその在世にこのフルネームで呼ばれていたことを示す史料は発見されていないという。

円とは仏教において、すべての衆生が成仏できる円融円満の完全な法門を指している。華厳宗では華厳経と法華経を「円教」としたが、天台大師は法華経のみを「円教」とした。「円乗」とは〝円融円満な教え〟という意味であり、法華の思想という意味だ。天台宗は法華経を根本とするので「円宗」とも称した。

　　伝教大師は御本意の円宗を日本に弘めんとす（日蓮『土木殿御返事』）

　こうして考えると、もし彼が円乗坊宗円という名乗りをしていたならば、そこには徹頭徹尾、法華の信仰への強烈な自負がうかがえる。もちろん、日蓮宗の僧であった彼にとって「円乗」も「円宗」も、比叡山天台宗のことではなく日蓮の教えであることは言うまでもない。

泥に咲く蓮華

　天下一の茶の宗匠だった千利休は、一五九一年に秀吉から切腹を命じられる。本能寺の変からの一〇年間、あれほど一心同体にさえ思われたふたりのあいだに何があったのだろうか。

　異変の前兆はあった。利休の高弟で、利休と同じく豊臣家の茶頭にもなっていた山上宗二が、前年の一五九〇年に秀吉の逆鱗に触れて処刑されたのだった。何が秀吉を逆上させたのかは不明。宗二は耳と鼻を削がれて斬殺された。よほどの怒りがなければ、このような事態にはならなかっただろう。

　そして翌年、利休もまた秀吉から蟄居処分を受けたのち、自刃を命じられた。しかも、その首は京都の一条戻橋に晒(さら)された。

通説では、大徳寺山門に利休像が置かれたことが、門をくぐる秀吉への不敬にあたったという話がある。茶の湯への考え方で両者のあいだに対立があったという説もあれば、政治的謀略に巻き込まれたという説もある。しかし、どれも憶測であって明確な根拠がある話ではない。尾張の足軽から身を興した秀吉は、信長亡きあと、利休という表現者の才能をフルに活用して〝天下人〟のブランドイメージと権威をつくりあげた。利休には珠光のような遁世者になる選択肢もあったはずだ。最初は信長に、その後は秀吉に仕えて天下一宗匠と駆け上がっていくことを、権力への阿(おもね)りと見た者もいただろう。

実際、利休のなかにも葛藤のなかったはずがない。その葛藤のなかから、秀吉好みのきらびやかな大坂城や聚楽第とはおよそ対極の、長次郎の黒樂(くろらく)茶碗を用いた利休の茶の湯ができあがった。

樂家❖3の初代となる長次郎は、中国からの渡来人陶工・阿米也(あめや)を父に持つ。伝来由緒のある唐物名物に対し、長次郎の茶碗は〝今、焼きあがったばかり〟という意味で「今焼(いまやき)」と呼ばれた。

利休はあえて、骨董的なプレミアムがゼロの新進作家に焼かせた漆黒の茶碗を採用した。過去の価値観に対し、彼は自分の価値観を信じた。

山上宗二が斬殺されたのは秀吉が小田原で北条氏を攻めていた時期。天下統一は、ほぼ達成されようとしていた。利休の死の半年後、秀吉は大陸への出兵を諸大名に宣言している。こうした豊臣政権が絶頂期を迎える渦中で、利休と宗二は相次いで命を絶たれている。

利休の助命を嘆願する周囲の有力武将たちの声にも、秀吉は耳を貸さなかった。利休の辞世の句には、

　吾が這の宝剣　祖仏共に殺す

というくだりがある。〝わが宝剣は、いかなる権威の圧迫をも拒絶する〟という意味だ。茶の湯のあり方を巡っても、利休は秀吉に妥協しなかった。

樂家一五代の直入氏は、その利休の胸中に思いを巡らせ、こう綴っている。

　表現者であることを貫き通すことの果てに、表現者は泥の中から凛と伸びる一輪の白蓮の花を待つことができるのだろうか。（『光悦考』淡交社）

この一文は、あるいは法華経従地涌出品の「如蓮華在水（蓮華の水に在るが如し）」❖4を踏まえられているのだろうか。

水とは清流ではなく泥のたまった池のこと。その汚泥（おでい）のなかで、むしろ泥を滋養に変え、泥に染まることなく清浄な花を咲かせていく蓮華の姿。煩悩・業・苦の渦巻く滅後悪世の現実社会に法華経を受持する人間像を端的に表現したものだ。

権力者に利用されることも拒まず、権威を与えられれば受ける。一方で、どこまでも自分の美意識を追い求め、思うがままに表現し、自刃を要求されれば泰然として受け入れる。秀吉は利休の生殺（せいさつ）を意のままにしたように見えたが、利休の〝自己を統御する意思〟は、世俗の王権から超然としたところで、自由人として生ききった。

私には、利休という人の生き方が、レオナルド・ダ・ヴィンチ（一四五二―一五一九）や、利休とほぼ同時代を生きたミケランジェロ・ブオナローティ（一四七五―一五六四）にも、どこか重なって見えるのだ。

信長の宿所

二〇一五年六月七日の午後。私は京都駅に近いカフェで初対面となる人を待っていた。約束の時間にやってきたのは高橋伸城。当時、彼はまだ立命館大学大学院の博士課程に在籍していた。

高橋にアポイントメントを取ったのは、たまたま知人の親族であった彼が「本阿弥光悦（ほんあみこうえつ）」の研究者だと知ったからだった。日本では教育学部を卒業しながら、英国のエディンバラ大学大学院で芸術理論、ロンドン大学大学院で美術史学を学ぶうちに、高橋は日本の近世美術に魅せられたのだという。

日本美術史を画する稀代のプロデューサー・本阿弥光悦。この光悦について、どこかに研究者はいないものか。じつは私は何年も前から、ずっとそういう人を探していたのだった。不思議な巡り合わせだと思った。折しもこの年は、光悦が徳川家康から一六一五年に京・鷹峯の土地を〝拝領〟して四〇〇年。京都は「琳派四〇〇年」を記念する行事で賑わっていた。

その日、夕食をともにしながら、孤独な学究生活を送っていた高橋に、私はいささかの熱を込めて話した。

「世界はこれから日本文化のさらに深いところを必ず知りたくなる。じつは日本文化のメインストリームに〝法華〟という巨大な流れがあること。ここを読み解いていかないと、見えてこないものがたくさんあると私は考えている。あなたの研究は遠からず、決定的に重要になる日が来ると思う」

まさしく釈迦に説法だが、私の好き勝手な講釈のあれこれを、高橋は眼を輝かせて聞いてくれた。ちなみにその後、博士課程を終えた高橋は東京に居を移し、今は私とともに「ＢＵＮＢＯＵ」[❖5]の一員として仕事をしている。

た。

その高橋がまだ大学院にいた二〇一八年の四月下旬。私は彼の案内で久しぶりに京都を歩いた。

ＪＲ京都駅から市営地下鉄に乗ってまっすぐ北上し、鞍馬口駅で降りる。最初に訪れたのは、鞍馬口駅のすぐ東側にある上御霊神社。石燈籠の脇に「応仁の乱勃発地」の石碑が建っている。一四六七年（応仁元年）一月一八日にここで起きた御霊合戦を端緒に、全国の諸大名が東西に分かれ、一〇年におよぶ戦乱が続いた。京都の市街はその主戦場となった。

ふたたび駅の方向に戻って地下鉄の走る烏丸通を渡り、今度は鞍馬口通を西へ進む。尾形光琳が最晩年に二条新町屋敷を建てる前、尾形家の本邸はこのあたりにあった。

堀川通の手前で住宅と住宅のあいだの、まるで猫の抜け道のような路地を抜けると、ややあって大きな伽藍があらわれた。狩野派の菩提寺、そして樂家の菩提寺でもある法華の古刹・妙覚寺だ。

中世後期の都市社会史を専門とする河内将芳氏の『宿所の変遷からみる信長と京都』（淡交社）を読むと、信長が上洛した際のスケジュールと宿所が史料から詳細に検証されていて興味深い。信長がもっとも多く宿所に使ったのは妙覚寺で、数えてみると確認できるだけで一八回。

ただし、当時の妙覚寺は別の場所にあった。地下鉄烏丸御池駅の近くに、室町通と新町通に挟まれた上妙覚寺町、下妙覚寺町という町名が今も残る。この南北に長い広大なエリアが、信長在世の妙覚寺の寺域だった。ここからは室町通をわずかに上がれば足利義昭の御所に着く。

『上杉本洛中洛外図屏風』など初期洛中洛外図をみるかぎり、妙覚寺の周囲には堀や土塁が描かれている。（中略）いわば城塞のようなすがたをしていたことも寄宿先として選ばれた理由と考えられよう。（河内将芳『宿所の変遷からみる信長と京都』淡交社）

城塞化しているうえに敷地が広い。つまり鉄砲など火器の襲撃に対しても防御性が高かったのだ。信長が本能寺の変で没した翌一五八三年、秀吉の洛中整理令で妙覚寺は現在の場所に移転した。

さて、妙覚寺の境内を抜けて堀川通に出ると、ふたたび法華寺院があらわれる。〝鍋かぶり〟伝承の残る日親が創建した本法寺。開基の檀越は本阿弥光悦の曽祖父・本阿弥清信とされる。日親が謹慎中の僧の「茶湯賞翫」を禁じる本法寺方式を制定した、あの本法寺だ。本法寺は本阿弥家の菩提寺であり、今も本堂に掲げられている「本法寺」の扁額は本阿弥光悦の筆と伝えられる。

国宝《松林図屏風》で知られる長谷川等伯（一五三九―一六一〇）。能登の七尾出身の法華衆である等伯が、上洛したあとに拠点としたのも本法寺だった。

上洛の翌年と思われる一五七二年に、等伯はその年に夭逝した本法寺の第八世住持・日堯の肖像画を描いている。それは、等伯がすでに七尾時代から法華衆のネットワークのなかでその

戦国時代の下京　河内将芳『宿所の変遷からみる信長と京都』（淡交社、2018年）所収の図より作成（原図は山田邦和『京都都市史の研究』（吉川弘文館、2009年）

画力を知られ、高い評価を得ていたことを物語っている。

本法寺もまた、破壊や焼失などで場所を転々とした。秀吉の洛中整理令で一五八七年に一条戻橋付近から数百メートル北の現在地に移ったという。この一条戻橋は現在の晴明神社のすぐ東側にある。

千家再興

堀川通とは反対側、東の仁王門から本法寺の外に出ると、ここで景色が一変した。

数寄屋造りの建物と、石畳に沿って長く伸びる利休茶色の壁。静まり返った空間にあらわれたのは、茶道の裏千家今日庵と表千家不審庵だ。実際にそこに立ってみると、細い道路一本で本法寺と隣接している〝近さ〟に驚く。

そして、この今日庵と不審庵の東側に隣接するのは妙顕寺。日像❖6が一三二一年に創建した、京都における最初の法華寺院とされる。妙顕寺も比叡山大衆からのたびたびの焼き討ちや、一五三六年の天文法華の乱で焼失し、一五四八年に二条西洞院に再建された。あの信長の宿所時代の妙覚寺から一ブロック先の西側だ。やはり秀吉の整理令で、一五八四年に現在地に移転させられている。塔中の泉妙院には、尾形光琳と乾山の墓がある。

千利休が秀吉に自刃させられたあと、先妻・宝心妙樹の息子である道安も、後妻・宗恩の子で利休の養子となった少庵も、蟄居謹慎を命じられた。千家は断絶の危機に瀕していた。少庵は遠く会津の蒲生氏郷のもとに預けられている。

じつは少庵は最初に堺から京都に出たあと、大徳寺門前に住み、それから二条衣棚に住んでいる。その二条衣棚の土地は、もともと信長宿所時代の妙覚寺があった場所なのだ。どういう経緯があったのか、少庵はこの移転の跡地に住んでいた。

利休が自刃させられる前年の一五九〇年、二条衣棚はさらなる区画整理の対象となった。この際、少庵に代替地として与えられたのが、本法寺の門前だった。代替地の選定にあたっては、本阿弥家が大檀越をつとめる本法寺の口添えがあったと同寺に伝えられている。この本法寺に隣接する土地こそ、現在の今日庵と不審庵がある空間なのだ。

会津で謹慎させられていた少庵は、数年後、徳川家康と蒲生氏郷が連名でしたためた「許し状」により秀吉の勘気を解かれ京都に戻った。樂家一五代の直入氏は、

> 田中宗慶とその子・常慶は少庵の帰洛、千家再興に大いに力を尽くしたようである。（十五代樂吉左衛門『光悦考』淡交社）

と述べている。田中宗慶は樂家の祖。息子の常慶は樂家の二代になる。樂家は宗慶以来の日蓮

宗徒。こうして見ると、利休その人の信仰は詳細不明ながら、その周辺には献身的にかかわった〝法華衆〟の僧俗たちの姿が幾重にも色濃く浮かびあがってくる。

そして、もうひとつ不思議な一致がある。一世紀あまりのちの一七一一年に尾形光琳が終の棲家として建てた屋敷の場所は「新町通二条下ル」。尾形家と本阿弥家は縁戚であり同じく法華衆。残されている図面から、この光琳の屋敷は西端の門が新町通に面していたと考えられる。つまり信長が宿所としていた当時の妙覚寺の敷地内にあたる。

かつて利休の息子が暮らしたことのある妙覚寺跡地の一角に、光琳もまた屋敷を建てた。一帯の土地には、法華衆のネットワークが依然として強く作用していたのだろうか。ちなみに、長谷川等伯が暮らしていたのは、このわずかに南側、三条衣棚町だ。

京都十六本山会合

三方を法華寺院にかこまれた表千家と裏千家。ここから数百メートル下った油小路通沿いに「本阿弥光悦京屋敷跡」という石碑が建っている。鷹峯に〝光悦村〟が開かれたあともなお、本阿弥家の屋敷はここにあった。高齢の身で光悦は京屋敷と鷹峯をしばしば往復している。

そこから、さらに油小路通を五〇〇メートルあまり下ると樂美術館、すなわち利休とともに樂茶碗をつくりあげた樂家が、四〇〇年前と変わらず今もある。三千家のうちの武者小路千家

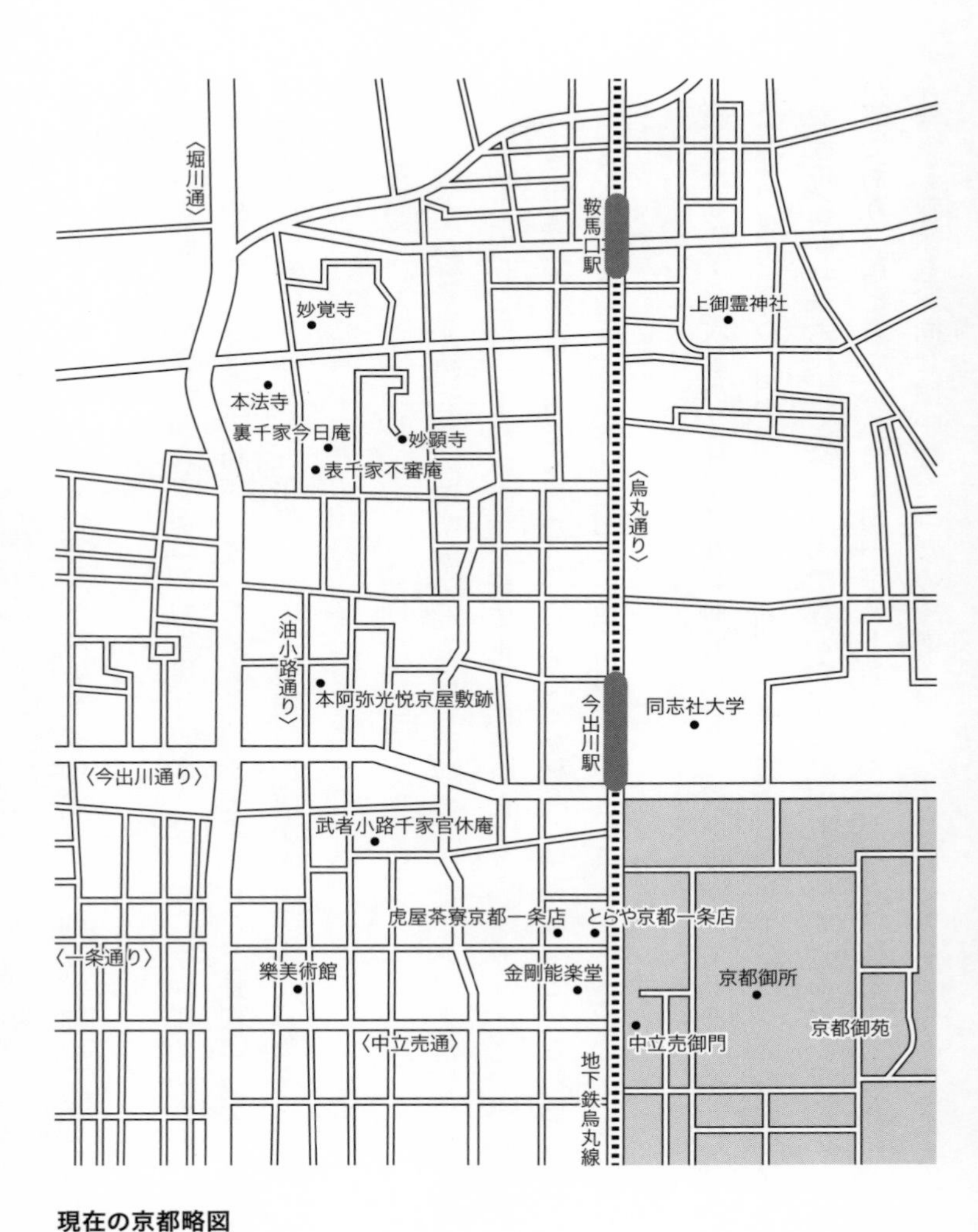
〈堀川通〉
鞍馬口駅
上御霊神社
妙覚寺
本法寺
裏千家今日庵
妙顕寺
表千家不審庵
〈烏丸通り〉
〈油小路通り〉
本阿弥光悦京屋敷跡
今出川駅
同志社大学
〈今出川通り〉
武者小路千家官休庵
虎屋茶寮京都一条店
とらや京都一条店
〈一条通り〉
樂美術館
金剛能楽堂
京都御所
京都御苑
中立売御門
〈中立売通〉
地下鉄烏丸線

現在の京都略図

の官休庵があるのは、本阿弥光悦京屋敷跡と樂家のほぼ中間地点。油小路通からわずかに東に入った武者小路町だ。

樂家の玄関には光悦の筆になる「樂焼　御ちゃわん屋」の文字が染め抜かれた暖簾がかかっている。初代長次郎は、千利休に従って黒樂茶碗を生み出した。長次郎の父・阿米也は中国からの渡来人の陶工だった。近年の研究で、樂焼の技術が中国明時代「華南三彩」に繋がることから、阿米也は福建省あたりの出身であろうとされている。

> 樂家が秀吉が建てた「聚樂第」近くに居を構えていたこと、また長次郎の樂茶碗は、聚樂第に屋敷を持つ千利休の手を経て世に出されたことなどから、この焼物が後に「聚樂焼き茶碗」と呼ばれるようになり、やがて「樂焼」「樂茶碗」と称されるようになりました。また豊臣秀吉から「樂」の印字を賜わったとされています。（樂焼サイト）

樂家は初代・長次郎の子孫ではない血筋によって引き継がれている。祖とされる田中宗慶は「長次郎の妻の祖父。田中姓を名乗り、利休に常に従っていた人物」❖[7]。この田中宗慶を祖として、樂家は現在の「一六代吉左衛門」まで親から子に継がれている。なお、千利休の幼名が田中与四郎であり、居士号を得るまで田中宗易と名乗っていたことに留意しておきたい。宗慶から続く樂家も利休も、同じ田中姓だったのである。

一九八二年七月、歴史の空白を埋める発見があった。京都市左京区にある日蓮宗・頂妙寺の庫裡から、およそ五〇〇点もの古文書がみつかったのだ。『京都十六本山会合用書類』である。将軍・足利義輝がテロに倒れた一五六五年、京都の法華寺院は門流の差異をこえて「会合」と呼ばれる連盟を結成した。その背景について河内将芳氏は「政治情勢の極端な不安に対応するため会合は立ち上がってきたと考えられるのである」（『日蓮宗と戦国京都』淡交社）と記している。

この『京都十六本山会合用書類』のなかには、樂家の祖・田中宗慶が一五七六年（天正四年）に妙覚寺へ「壹貫文」を寄進したことが記録されている。その際の住所は「南猪熊丁」で、一五代直入氏はこれを現在の晴明神社のあたりだろうとしている。

興味深いことにそこは十年後の天正十四年に造営される「聚楽第」近隣にあたる。（十五代樂吉左衛門『光悦考』淡交社）

利休の聚楽屋敷跡の石碑は晴明神社境内にある。直入氏は、秀吉の聚楽第造営にあたって、宗慶が住んでいた土地に利休屋敷が建てられることになり、樂家は現在地の「油小路一条下る」に移転したのだろうと考察している。

禁中のパティシエ

初夏を思わせる日ざしの下、私と高橋は樂美術館の前を南へ進み、次の中立売通を左折して京都御苑の方向に歩いた。室町通を過ぎると目の前に御苑の中立売御門が見える。

御苑の新緑を右手に見ながら烏丸通をふたたび北上すると、金剛能楽堂がある。そして一条通を挟んだ北隣には和菓子の「とらや京都一条店」があらわれる。一条通を西に入ったところには「虎屋茶寮京都一条店」もある。

今では世界に名を知られ、パリにまで直営店を置く虎屋は、この地で後陽成天皇の在位中（一五八六—一六一一）から御所の御用をつとめていた。東京遷都で明治天皇が東京に移った際、虎屋も〝禁中のパティシエ〟として東京に進出したのだ。

虎屋の「社史」[8]には、一六〇〇年の関ヶ原の戦いの際、敗れた尾張犬山城主・石河貞清（光吉）が追っ手を逃れ、虎屋の屋敷に三日間かくまわれていた逸話が紹介されている。虎屋を営む黒川家は本阿弥家や樂家のような法華衆ではない。しかし、虎屋は関ヶ原の時点ですでに市豪（豪商）として名をはせていた。徳川軍が追う敗軍の将を平然とかくまった史実は、この頃の京都町衆セレブが持っていた社会的威光の一端を物語っているように思われる。

虎屋にかくまわれた石川貞清は、後年に剃髪。「石河宗林」と名乗って京都で金融業を営み、茶人となった。秀吉所持の茶入《鎗の鞘肩衝》など、京都で名物と称される茶道具の多くを石河家が所持していたと『町人考見録』は記している。

同志社大学のメインキャンパスがある烏丸今出川の交差点まで来ると、私たちはカウンターのあるカフェで小休止した。

それにしても、と思った。往時の本阿弥家と樂家は、油小路通沿いに徒歩数分の距離。樂家と本阿弥家をむすぶ直線上の北側には、三つの法華寺院に守られるように利休の子孫がいる。ともすれば禅との関係性が強調されがちな茶の湯だが、少なくとも利休とその子孫は法華衆ネットワークとの濃密な関係のなかにいた。

註

1——一四九六年に蓮如が建てた浄土真宗の寺。当時は大坂御坊や大坂本願寺と呼ばれた。一五三二年に京都の山科本願寺が細川晴元の軍勢と法華衆に焼かれると、法主・証如は大坂本願寺に移りここを本寺とした。一五七〇年以後、織田信長と一一年間におよぶ戦闘（石山合戦）を続け、朝廷によって和議が成立。本願寺は一五八〇年七月に破却され、顕如は紀伊の鷺森へ移った。

2——一五八七年、豊臣秀吉が京都北野神社の境内と松原でおこなった大茶会。茶道具の良否や身分・貧富の別なく愛好者を自由に参加させた茶会。『北野大茶湯之記』に詳しく記されている。

3——千家十職のひとつで利休の時代から茶碗を焼く。初代は長次郎。長次郎の没後、その妻の祖父・田中宗慶を家祖とし、息子の二代・常慶から現代まで子息が後継する。宗慶と常慶、とりわけ三代の道入は本阿弥光悦と親交が深かった。「樂吉左衞門」は歴代の当主が襲名している名称。二〇一九年七月に一五代・直入氏の長男・篤人氏が一六代吉左衛門を襲名した。

4——従地涌出品にある「如蓮華在水」の「蓮華」はサンスクリットでは「紅蓮華」となっている。〈大地を裂いて、今、ここにやって来たところの［菩薩たち］は、紅蓮華が［泥］水によって［汚されることがない］ように、汚されることはありません。〉植木雅俊『梵漢和対照・現代語訳 法華経㊦』岩波書店

5——BUNBOUは二〇一九年に立ち上げられたライター×編集者×研究者が協働するユニット。BUNBOU株式会社が運営する。

6——日像（一二六九—一三四二）は日蓮宗の僧。日蓮の本弟子（六老僧）のひとり日朗の弟。日蓮の滅後、

北陸や京都で布教。たびたび追放処分などを受けながら日蓮宗の京都での最初期の寺院となる妙顕寺を開き、日蓮宗が京都で教線拡大する基盤を作った。

7——樂焼ウェブサイト「樂歴代紹介」 https://www.raku-yaki.or.jp/history/successive.html

8——黒川光博『虎屋 和菓子と歩んだ五百年』新潮新書、および虎屋ウェブサイトを参照。

第4章

桃山文化の原動力

なぜ動乱の世に美が開花したか

ラングドン教授の指摘

ダン・ブラウンの小説では、ロバート・ラングドンという主人公が活躍する。ハーバード大学の教授で専門は宗教表象学という設定。映画化された作品では、いずれもトム・ハンクスが演じている。

二〇〇四年に角川書店から発刊された邦訳の『ダ・ヴィンチ・コード』は、文庫本もあわせると一〇〇〇万部を超すベストセラーとなった。映画は二〇〇六年に世界同時公開。社会現象となるほど話題となった一方で、キリストにまつわる筋書きが信仰を冒涜するものとして、カトリック教会などから批判や論争が起きた。

作中、最初の事件はルーブル美術館で起きる。同じ夜、ラングドン教授は講演のためパリに来ていた。映画では、小説にはない講演冒頭のシーンが描かれている。教授は聴衆に語りはじめる。

「象徴は過去を知る言語といえます。〝一幅の絵画は千の言葉を語る〟とか。でも、どういう言葉なのか」

さまざまな画像を見せながら、ラングドン教授は「これを見て、とっさに何を思います？」と問う。白い三角の覆面頭巾をかぶった人々。三つ又の矛先。赤ん坊を抱いた母子像。

聴衆たちから、「憎悪、人種差別、ＫＫＫ」「悪魔の槍（やり）」「聖母子、キリスト教」と声があがる。

だが、画面が引いて全体像が映ると思わぬものがあらわれる。

正解は、スペインの司祭の服。海の神ポセイドンの力を示す三つ又の矛。キリスト教よりはるかに古い異教の神ホルスと母イシス。

「われわれは過去を知ることにより、現在を理解できるのです。〝真実だ〟と信じることと真実をどう見分けるのか。私たちのことを伝える歴史を、どう書き残せばいいのか。何世紀もの長きにわたって歪められた歴史から、元の真実を掘り起こせるのか。今夜はその探求の旅です」

表象は英語ではrepresentation。語源であるラテン語repraesentatioは「ふたたび（re-）現前せしめること（praesentatio）」を意味する。何かを「再現前化」させるもの。

図像や絵画、あるいは宗教における本尊には、この〝ふたたび現前せしめる〟はたらきがある。しかし、そこに何が再現前化されているのかを見きわめるのは容易ではない。私たちはしばしば、自分の思い込みや通説にとらわれてしまう。

インド・メダイヨン

初期仏教では、ブッダを人の姿であらわすことは避けられ、法輪や聖樹、法座、仏足石、仏塔といった象徴的な図像であらわされていた。もともと釈尊の遺骨である仏舎利を祀っていたストゥーパには、それ以上に身体的な表象が必要ない。やがて仏舎利が入手できなくなった大乗仏教の時代になると、「法（ダルマ）」を表象するものとなった。いわゆる仏像が誕生するのは、クシャーナ朝（一〜三世紀頃）のガンダーラやマトゥーラからと考えられている。

一九七八年にアフガニスタン北部で、当時「ツタンカーメン王墓の発見に並ぶ」と言われるほど、世界の考古学界を狂喜させる出来事があった。ティリヤ・テペ遺跡の発見だ。紀元一世紀ごろの遊牧民の王族の墳墓群で、埋葬されていたのは男性ひとりと女性五人。副葬品として二万点を超す金、銀、象牙細工などが出土した。

これらはきわめて精緻な技術と芸術性を誇っていた。しかもローマからエジプト、インド、中国に至る広範な文明との交流が如実にあらわれており、この地が〝文明の十字路〟であったことを雄弁に物語っていた。

発掘された品々は、アフガニスタンの首都カブールの博物館に収蔵された。だが翌年に、ソ連のアフガニスタン侵攻がはじまる。以後、イスラム武装組織による内戦、タリバン政権の樹立、九・一一同時多発テロを受けての米国の侵攻など、アフガニスタンは最悪の政情不安と戦火にまみれ続けた。その間、同国内の多くの貴重な歴史遺産が盗掘され略奪され、あるいは破壊された。カブールの国立博物館も爆撃を受け、ティリヤ・テペの出土品は行方知れずになっていた。

戦乱に乗じて強奪されたと思われていたそれが、じつはカブール市内にある大統領府の中央銀行地下金庫に守られていたことが公表されたのは二〇〇四年になってからだ。ソ連撤退直後の一九八九年、危機を感じた博物館員たちが決死の覚悟で密かに運び出し、しかもそのことを家族にさえ黙秘して〝自分たちの文化〟を守り通してきたのだった。この品々は、国際的な協力のもとで疎開（そかい）措置として世界各国を巡回し、日本でも二〇一六年に「黄金のアフガニスタン」展として九州国立博物館と東京国立博物館で公開された。

ティリヤ・テペの六つの墳墓のうち、王であろう男性が埋葬されていたのは四号墓。彼が生前に所有していたと思われる装飾品の数々も副葬されていた。

「インド・メダイヨン」と命名された直径一・六センチほどの黄金のメダル（口絵8）は、この男性の胸の上に置かれていた。紀元前一世紀頃のものと考えられている。死者の胸の上に置かれていたのは、このメダルが死者にとって非常に重要な意味合いを持っていたからだろう。

メダルの片面にはライオンの咆哮（ほうこう）する図像と「恐れを滅し去った獅子」というカローシュティー文字が刻まれている。もう片面には、法輪と男性の図像があり、「法輪を転じる者」と刻まれている。ブッダは〝歩く人〟だった。法輪を転じるように、死の直前まで法を説く言論の歩みを続けた。

ティリヤ・テペから発掘された副葬品では、この「インド・メダイヨン」が唯一の仏教的なものだという。もちろん先入観は禁物だ。そのうえで、法輪を転がしている男性をブッダだと見なすとすれば、ひとつの解釈が成り立つ。この紀元前一世紀頃の小さなメダルこそが、あるいは現存する世界最古の〝仏像〟だということになる。

モノクロームの本尊

世田谷区岡本から二〇二二年に丸の内の明治生命館に移転する静嘉堂文庫美術館。ここには、国宝七点、重要文化財八四点をふくむ二〇万冊の古典籍と六五〇〇点の東洋古美術品が収蔵されている。岩崎彌太郎の弟・彌之助（三菱第二代社長）と、その子息で第四代社長の小彌太が集めたものだ。

現在この静嘉堂文庫美術館の文庫長と美術館長に就いているのは、東京大学名誉教授の河野元昭氏。美術専門誌『國華』の前主筆であり、美術史とりわけ琳派研究の権威。ご自身のブログを「饒舌館長」と洒落で名づけているように、その心地よい声と軽妙洒脱な講演は、聴く者を飽きさせない。

過日、『國華』編集室にお邪魔した折に、私がいつぞやの講演会の話題に触れたら、「あの頃は今よりもうちょっと真面目に話してたかもしれないな」と呵々大笑された。

ちょうど「琳派四〇〇年」だった二〇一五年。私が京都ではじめて光悦研究者の高橋伸城と出会って四カ月後の一〇月。河野氏は宗教専門紙『中外日報』に求められて、日本中近世美術と日蓮宗に関する一文を寄せた。改訂補筆されたものがブログ「饒舌館長」の二〇一七年一〇月から一一月に、「サントリー美術館『狩野元信』」と題して連載されている。『中外日報』の稿は、このような書き出しではじまっていた。

篤いキリスト教信仰者であった内村鑑三さえ、独創性と独立心を愛して止まなかった日蓮――その日蓮が編み出した法華宗、今の呼び方で言えば日蓮宗は、偶像や聖像に対して冷淡であった。日蓮は礼拝すべき最も重要な対象として、「南無妙法蓮華経」という七文字を中心とする文字曼荼羅本尊と、それのみの題目本尊を創出したのである。

日蓮は辛苦惨憺（しんくさんたん）の末にみずから確立した法華経世界を表現し、礼拝の対象とするために、画像ではなく、文字だけの本尊を選択したのである。それは眼に心地よいポリクロームではなく、凛としたモノクロームの本尊であった。しかも本尊として一般的な三次元の彫像ではなく、二次元の掛幅であった。日蓮が独自に感得した法華経のシャングリラは、文字曼荼羅や題目本尊によって最も的確に視覚化されたのである。（『中外日報』二〇一五年一〇月二日付）

一般的に仏教各宗派では彫像や図像を礼拝の対象とする。だが、日蓮は文字で書かれた曼荼羅を本尊とした。河野元昭氏は、日蓮が彫像を否定はしなかった(日蓮自身も釈迦立像を所持していた)ものの、しかし彫像を絶対視しない思想がそなわっていたように思われてならないと記している。

事実、日蓮は「諸宗は本尊にまどえり」(『開目抄』)と批判した。本尊とすべきものの選択をなにより重視したのだ。

ラングドン教授と聴衆のやり取りを思い出してほしい。彫像や画像にされたものは、一見わかりやすい。だが、そこに何が「再現前化」されているのかは、見る側の知識やイマジネーションにかこい込まれてしまう。

日蓮は文字曼荼羅の本尊について、「日蓮がたましひ(魂)をすみにそめながして・かきて候ぞ信じさせ給へ」(『経王殿御返事(きょうおうどのごへんじ)』)と記している。日蓮自身が身命を賭して覚知し、全人格で体現しようとした、法華経が説く〝法〟の真髄。それを末法の一切衆生へと手渡すために、再現前化を可能にしたい。しかし、それは彫像や図像では不可能だった。

一部に梵字(ぼんじ)を加えつつ表意文字の漢字をメインとした、まるで厳密な概念図のようなモノクロームの曼荼羅。それは、じつに合理的な選択、あるいはそうするほかはなかった選択だったと、私には思える。

錚々たる豪華キャスト

さて、河野氏はこのコラムで次のように綴った。

ところがここに不思議な現象がある。中世から近世にかけて、日本美術史上、重要な役割を果たした流派、すぐれた作品を遺した芸術家に、日蓮宗の信徒が多かったという事実である。（同）

そして、狩野派が代々、始祖の正信（まさのぶ）からはじまって日蓮宗徒であったこと。狩野永徳と覇（は）を競った長谷川等伯もそうであったこと。琳派の祖とされる本阿弥光悦になると、法華信仰と芸術創作が融合していくことを挙げる。

さらに、「光悦と不即不離の間柄に結ばれていた俵屋宗達も法華信徒であったにちがいない」こと。その宗達に私淑した尾形光琳の墓所が「京都における最初の日蓮宗道場と言われる妙顕寺」であること。加筆された「饒舌館長」では、さらなる人物として葛飾北斎の名前が登場する。

錚々（そうそう）たる豪華キャスト。一五世紀からの四〇〇年間、日本美術史のメインストリームを飾る巨匠たちが並んでいる。

このようにみてくると、日蓮宗を抜きにして近世絵画を語ることはまったく不可能だということになる。（同）

私たちがまさに〝ザ・ニッポン〟と感じるものが登場する時代。そして、今日の世界がよく知っている「日本」。そこにはなぜか、法華経と日蓮の思想に連なろうとする人々が頻出（ひんしゅつ）する。このことは、歴史学者の藤井学氏が『法華文化の展開』（法蔵館／二〇〇二年）で示していたが、美術史学の重鎮である河野元昭氏が言及した意味は小さくない。「禅」でも「神道」でもない日本。「密教」でも「浄土教」でもない日本。メインストリームを貫きながら、見落とされていたもの。河野氏は、ブログに加筆した一連の考察の最後をこうしめくくっている。

美術史において、すべてを宗教という観点から考察することはむろん間違っている。しかし、それをまったく無視して、芸術家の天賦の才や血のにじむような努力、あるいは社会環境に因縁を求めることも正しい方法とはいえないであろう。なぜなら、宗教はそれらを創り出す最も重要な要素だからである。（「饒舌館長」二〇一七年一一月五日）

日蓮は信仰の対象を彫像にしなかった。それは日蓮の本尊観、すなわち〝法華経が示した仏とは何か〟という問題と切り離せない。これについては、いずれ本書の後半で掘り下げようと思う。

しかし、「日蓮宗を抜きにして近世絵画を語ることはまったく不可能だ」というほどまでに、日蓮を信奉する者たちが、近世日本美術史の巨星として続々と名を連ねているのは、いかなる理由によるのだろうか。しかも、特定の美学や様式に縛られず、じつに自在であり宗教的なものはほとんどうかがえない。河野元昭氏は次のようにも語っている。

法華衆の絵師が一生懸命に文字曼荼羅を描いたというなら分かるんです。ところが彼らの多くは仏教的なモチーフには触れず、ただ山水を、花鳥を、そして中国の故事人物を描いた。パッと見ただけでは描き手が日蓮の信奉者であるかどうかなんて分からないわけです。

実はここに、日本美術で法華信仰が語られてこなかったもう一つの要因があります。端的にいえば実証が難しいんです。（高橋伸城『法華衆の芸術』第三文明社）

紛争を転換する

「平和学の父」と称されるヨハン・ガルトゥングは、一九三〇年にノルウェーの首都オスロで生まれた。医師でありオスロ副市長もつとめた父親がナチスに連行されたとき、彼はまだ一三歳だった。第二次世界大戦が終わり、少年は自分の将来の夢を模索した。

一九五一年、二一歳の彼は、あることに気づく。世のなかには「戦争研究」は存在するのに、体系的な学問としての「平和研究」というものがない。一九五六年にオスロ大学で数学博士号を、翌五七年に社会学博士号を取得。一九五九年、富豪リンデ家の資金援助を受けてオスロ国際平和研究所を創設する。こうして彼はみずからの手で「平和学」という学問分野を開拓し確立した。

数学者と社会学者のふたつの眼を持ったガルトゥングは、「直接的暴力」と「構造的暴力」、それらを正当化する「文化的暴力」といった概念の三角形を明快に提起してみせた。これに対して平和もまた「直接的平和」「構造的平和」「文化的平和」のそれぞれの側面によって創出される。

紛争は、相容れないふたつのものが衝突するときに生じる。これは、個人の心のなか、親子やパートナー、近隣、加害者と被害者、労使関係、政党間、部族間、国家間、文明間、かつての東西冷戦、というように、人間のあらゆるスケールで見られる。

この紛争をいかにして和解に導くか。ここでガルトゥングは数学者らしい画期的な発想として「トランセンド(超越)法」を提唱した。相容れない立場の方向性をX軸とY軸とする。双方が主張を撤退したゼロ地点は単に紛争が生じていない「消極的平和」。ただし、これは互いにとって価値的でないし、常に不満が爆発する危うさを持っている。

どちらか一方の力学にことが運べば、他方は抑圧や忍従を強いられる。中間の妥協点を探るという手もある。ただ、これも双方にとっては痛み分けの部分がある。双方の求めているものがともに満たされる新しい状態。むしろ紛争を契機として、ここへ着地することを探ろうとするのが〝紛争転換〟としてのトランセンドだ。


紛争はないに越したことはない。けれども、人が生きていくうえで大小の葛藤や衝突は常に避けられない。ガルトゥングの慧眼(けいがん)は、〝紛争〟は破滅の種にもなれば、反対に究極の双方の安穏の種にもなり得ると考えたところにある。単に〝紛争〟をなくす消極的平和ではなく、それを「転換」して新たな価値に変えていく。起きた悲劇を悲劇で終わらせず、単なる妥協でもなく、むしろ積極的に共感や創造性を駆動させる。そうすることで、紛争が起きる前よりも双方にとって価値がある関係性を開いていく。

興味深いことに、ガルトゥングはこうした概念のヒントを、「縁起」や「業」といった大乗仏教思想から見出している。

書物を通してしか知らなかった「平和学の父」と、私が直接出会えたのは二一世紀があけて間もない頃だった。共通の親しい友人を介して、東京で夕食をしながら懇談した。当時すでにガルトゥングは七〇歳を過ぎていたが、エコノミーシートで世界中を飛び回って精力的に活動していた。ヨーロッパの自宅のほかに、京都やハワイ、ワシントンDCにも住まいを持って、それぞれの地の大学で講義を引き受けていた。

テラスの先に東山の山並みがひろがる京都の家にお邪魔した日、夫人の西村文子さんは美味しい料理を用意して迎えてくださった。日本での講演では、文子さんが通訳をされる。ヨーロッパには多言語に堪能な人が珍しくはないが、文子さんによれば「彼は七カ国語くらいは原稿なしで講演ができる。原稿があれば九カ国語くらい。日本語も本当はかなりわかってるんですよ」とのことだった。

娑婆即寂光

さて、ここまで長々と「平和学の父」の話をしたのには理由がある。

天下動乱の安土桃山時代からパクス・トクガワーナの開幕する江戸時代初期。日本はテロと戦火の絶えない社会から、天下泰平の世へと転換を果たした。主に京都を舞台とした法華衆の茶人や絵師・職人が、すぐれた活躍を見せるのは、ちょうどこの転換期と重なっている。
彼らの文化芸術は、すでに織豊期[1]の血なまぐさい動乱の時代にあって、「美」というものの力で調和への内発的な欲求を為政者たちに促していたのではないだろうか。あるいは徳川幕府と朝廷、諸大名のあいだで、利害や価値観の衝突を回避し、妥協を超えて創造性を駆動させる、重要な役割を果たし得たのではないか。

社会が平和になったから文化が花開いたというよりも、文化が積極的に平和の創出を担った。そのように私には思えるのだ。

このことを考えるうえで、避けて通れない出来事がある。それが一五三六年（天文五年）七月、洛中で起きた「天文法華の乱」。比叡山延暦寺の僧兵と近江六角氏の連合軍が、京都の法華衆（日蓮宗僧俗）とのあいだで激しい戦闘を繰りひろげた。

結果は法華衆側の敗北。数千人とも一万人とも言われる犠牲者を出したうえ、二一カ寺あった京都の法華寺院はことごとく焼き払われた。下京の街は全焼し、上京も三分の一が焼失した。法華の僧俗は末寺のある堺などに避難。六年後に後奈良天皇の綸旨が出されるまで、法華僧俗の帰洛はかなわなかった。

奈良時代に伝来し公認仏教となったのが、倶舎宗、成実宗、律宗、法相宗、三論宗、華厳宗の「南都六宗」。ここに平安時代に伝来した天台宗と真言宗を加えた顕密仏教[2]「八宗」が、それ以降の日本の仏教の思想学問体系の基盤とされていた。

これに対し、平安末期から鎌倉時代、浄土宗、浄土真宗、時宗、日蓮宗が登場し、さらに宋から臨済宗、曹洞宗といった禅が伝わった。「八宗」から見れば、いずれも新興の宗教勢力になる。

なかでも日蓮宗は、宗祖の日蓮（一二二二―一二八二）が東国の東海道の果て（安房国／現在の千葉県南端）の出身。しかも、みずから「旃陀羅が家より出たり」（『佐渡御書』）と語っているように、エスタブリッシュメントとは無縁な漁労の民の出自だった。旃陀羅とは、インドの種姓制度[3]の四身分の外に置かれた被差別民（Caṇḍāla）の音訳。つまり日蓮は「辺境」と「下層階級」という二重の意味でマイノリティだった。

日蓮は当時の政都であった鎌倉を主な舞台として教線を拡大した。日蓮が没し鎌倉幕府が滅亡（一三三三年）したあと、朝廷のあった京都にも日蓮門流による布教がはじまる。それは、朝廷や公家などハイクラスの帰依者を持ち、荘園を経済基盤として支配階級の側にいた顕密仏教の側からすれば、支持層を侵食するものと映った。

この時代の京都では、酒屋が財力を蓄えており、その多くが土倉という金融業を兼業していた。職能集団を統括する座頭衆も存在した。日蓮門流は早い時期からこれら富裕な都市商工業者階層に受容されていく。

一四一三年には京都の「三条坊門堀河法花堂」が、翌年には「四条法華堂」が、延暦寺大衆によって破却されている。初期の妙顕寺を指すこれらが「寺」ではなく「堂」と称されているのは、正式な寺院として認められていなかったからだ。

都市のビジネスパーソンたちが日蓮の教えに惹かれたのはなぜだろうか。

誰かに祈祷してもらうのではなく、自分で祈り、願いを叶えていく。俗世の喧騒を離れた瞑想や、死後のみの救済ではない。現実の生活、現実の社会の諸課題と格闘することに価値を置く信仰。

こうした日蓮の教えた自立した信仰の姿勢が、自分自身の才覚を伸ばして成功していきたいと願う人々の琴線に響いたのだと思う。

> 是れ自従り来、我常に此の娑婆世界に在って説法教化す。(『法華経』如来寿量品)

> 諸の説く所の法は、其の義趣に随って、皆実相と相違背せじ。若し俗間の経書、治世の語言、資生の業等を説かんも、皆正法に順ぜん。(『法華経』法師功徳品)

天台大師❖4は、この法師功徳品の一節を「一切世間の治世産業は皆実相と相い違背せざるが如し」(『法華玄義』)と注釈した。日蓮もこれらの文を引いて、「智者とは世間の法より外に仏法を行ず、世間の治世の法を能く能く心へて候を智者とは申すなり」（『減劫御書』）と在家門下に書き送っている。

他の経典がさまざまな仏国土を別世界に想定したのに対し、法華経はこの泥沼のような娑婆世界こそ仏が常住する本国土だと説いた。だからこそ、娑婆世界をそのまま寂光浄土へと変革しなければならない。[5]

やがて室町期の法華町衆のエートスは、こうした日蓮や法華経の思想に「娑婆即寂光」——困難の多い現実の人生と社会のなかに人間の幸福を実現する——という理想を見出していくのである。

「題目の巷となれり」

京都での日蓮宗のひろがりは加速していく。妙顕寺の二世・大覚（一二九七—一三六四）は公家の近衛家出身とも言われ、一三五八年には祈雨の効験で大僧正となった。[6]

さらに花山院家など格式の高い公家のなかにも信者がひろがっていった。一五〇一年には前関白・鷹司政平の子息が数え年一〇歳で出家し法華僧となっている。

京都に日蓮宗繁昌して、毎月二箇寺、三箇寺づつ出来し、京都おおかた題目の巷となれ

り。（『昔日北花録』）❖7

巷に題目を唱える声が満ちていく一方で、京都の法華信徒らを脅かすものもあった。

農民たちが荘園領主や守護大名に対して年貢の減免などを求めて武装蜂起する土一揆は、すでに南北朝時代からあった。将軍・足利義教が暗殺されて政情不安となっていた京都では、一四四一年に大規模な土一揆（嘉吉の徳政一揆）が起き、幕府は徳政令を発布する。

中下層の農民のなかには酒屋や土倉の高利貸しに金融を受けて困窮する者が多く、それが質物の無償返還などを求める徳政の要求ともなって、下層武士や貧しい都市民も巻き込んで広範囲な一揆にひろがっていった。

土一揆はしばしば洛中にも乱入した。債権が放棄されれば金融業者である酒屋や土倉たちは打撃を被る。土倉が襲撃されて土倉役（税）を幕府に納められなくなる事態も発生した。一四五四年の大規模な一揆の際には、幕府の税収減を補填するため、債務者が借銭の一〇分の一を幕府に納めれば債務の破棄を認めるという徳政令を出している。❖8

一六世紀に入ると阿波の三好軍が洛中で乱暴狼藉をはたらくことも繰り返された。比叡山大衆は、あいかわらず日蓮宗への敵意を見せている。必然的に京都の法華僧俗は、自衛のための体制を固めざるを得なくなったのだ。

この時代は宗派を問わず、寺院や御坊を中心に、信者や商工業者が住む町そのものを土塁や濠で囲んで自衛する「寺内町」が各地で生まれている。京都の山科、奈良の今井、大坂の平野や天満などはその代表的なもので、最大規模は大坂の石山本願寺を囲むものだった。

幕府や武家の内部にも複雑な権力闘争が続いていた。管領・細川晴元は政敵の三好元長を倒すために山科本願寺を動かし、和泉・河内・摂津の三カ所で一〇万人規模の一向一揆を蜂起させる。巨大な一向一揆勢力は三好元長を倒したが、同時にもはや制御不能となった。それは細川晴元の新たな脅威になる。晴元は邪魔になった山科本願寺を潰したい。そこで自衛組織化していた京都の法華勢力を利用した。

一五三二年（天文元年）、ある不穏な噂が京都にひろがった。〝一向宗勢力が次は都の日蓮宗を攻撃しようとしている〟という。誰がこの噂を流布させたのだろうか。

この年の八月、法華勢力は細川晴元の軍勢に統率されるかたちで、山科本願寺を攻撃する。双方は激しく矢を撃ち合ったが、山科本願寺はあっという間に攻め落とされて炎上した。武力攻撃の勝利は、異様な昂揚感と同時に報復への恐怖も生んだ。法華町衆は翌年、晴元に操られるまま大坂の石山本願寺への攻撃に出陣している。

結局、さすがに巨大で堅固な要塞である石山本願寺を攻略することは困難で和睦した。しかしこの時期、もはや権力の空白状態になっていた洛中の治安維持は、自衛のために武装化した法華町衆組織に委ねられる状況になっていた。

こうした状況を黙認できなかったのが延暦寺大衆だった。

一五三六年（天文五年）、延暦寺は（三井寺）や教王護国寺（東寺）、といった他宗派の寺院勢力にまで呼びかけて、洛中の法華勢力への攻撃を決断する。和平工作は不調に終わり、しかも六角氏のほか、そもそも法華町衆を本願寺攻撃に利用した細川晴元までもが、あっさり比叡山側についた。

七月二五日の早朝に戦闘がはじまり、延暦寺大衆が上京を攻撃し、六角氏の軍勢が下京を攻める。市街は炎に包まれ、非戦闘員である女子供までが無差別に殺傷された。むろん法華衆以外の住民も戦禍に巻き込まれ犠牲となった。

一度は「題目の巷」になった京都で、法華の二一カ寺はことごとく焼き払われ、かろうじて生き残った僧俗は堺などの縁故のもとに逃げ落ちたのだった。これが「天文法華の乱」という、法華町衆の経験したあまりにも代償の大きな出来事のあらましである。この戦禍は、法華町衆の姿勢を変える契機となった。

発端となった法論

天下統一へ幾多の戦乱を経なければならなかった織豊期。ヨーロッパ製の重火器が持ち込まれた大坂の陣。その後、本格的な徳川政権の安定と並走して花開いた〝寛永の雅〟。戦争から平和へと転換していく日本の過渡期に、法華衆の茶人、絵師、職人がすぐれた創造性を発揮している。それが偶然ではなく必然であったこと。なぜそれが可能になったかを考えるとき、「天文法華の乱」が京都の法華町衆にどのような戦略転換をもたらしたのか、少しばかり想像力を巡らさなければならないように思う。

京都には二一本山と言われる日蓮宗寺院が並び、「当時法華宗の繁昌耳目をおどろかすものなり」（『宣胤卿記』[9]）の隆盛を誇っていた。

それら法華の寺々が、延暦寺大衆と近江六角の連合軍によって京の町ごと焼き払われ、僧侶たちが堺などに逃げ落ちることになった「天文法華の乱」。

この事件の引き金になったと思われるのが、半年前の二月に起きた問答だった。延暦寺の西塔北尾花王房という天台僧が烏丸の観音堂で説法をしていた。そこに居合わせた日蓮宗の在家信徒・松本久吉から論難され、花王房が〝論破〟されたのだ。これが都の人々の口の端にのぼると、面目を潰された延暦寺大衆は激怒した。

問答の内容を明らかにした史料がないので詳細はわからない。ただ問答があったことは事実で、在家の信徒が叡山の天台僧も反駁できないほどの素養を持っていたことは注目される。この時期の日蓮教団の発展は、特権的に儀礼をおこなう出家に在家が依存する信仰ではなく、在家のこうした自立し成熟した信仰によって可能になっていたのだろう。

この天文法華の乱を戦った法華衆を率いたのは、本阿弥家、後藤家、茶屋家、野村家といった富裕の町衆だった。

もともと町衆たちは不条理な暴力から自衛するために、やむなく武装していたに過ぎない。しかし結果的に為政者の政争に利用されて一向宗を襲撃する愚挙に至る。そして今度は、権門である顕密の連合軍から武力によって壊滅的な打撃を受けた。

応仁の乱を上回る市街の焼失と千万の非戦闘員の犠牲。なぜ、このような悲劇を招いてしまったのか。町衆たちの悔恨と打開策への議論は、おそらく膨大な日夜を費やすものになっただろう。

京都布教の草創期とは異なり、すでに日本の首都で法華町衆は揺るぎない勢力を形成している。「娑婆即寂光」という法華経の世界観に立ち、「御みやづかいを法華経とをぼしめせ、一切世間の治生産業は皆実相と相違背せずとは此れなり」（日蓮『檀越某御返事』）という信条に生きようとすれば、ふたたび日本の首都で〝よき市民〟として社会の繁栄を牽引する立場を獲得するしかない。

とはいえ、いつの時代も為政者は常に民が結束することを警戒する。まして、それが宗教的価値観を結集軸にしているとなると、世俗の権力にとっては排除すべき脅威と映る。

一方、荘園領主としてやはり世俗的な力を持ち、長く社会に君臨してきた延暦寺をはじめとする権門仏教。彼らにとっても、その既得権を脅かしてくるような者たちが洛中に勢力を拡大していくことは看過できない。

これら強大な力に対し、流血の惨劇を二度と招かないかたちで、どう向き合うべきか。天文法華の乱を経験した法華衆たちは、葛藤しつつここを思索したのだと思う。

非暴力という選択

宗教のために人間があるのか。人間のために宗教があるのか。

天文法華の乱で勝った延暦寺は、当然のごとく焼失した日蓮宗寺院の跡地を没収しようとした。だが実際には戦火の以降も、主要な法華寺院は土地の所有権を維持し続けている。


天文法華の乱を前後する洛中各本山の寺地の恢復のあり方や規模を検証すれば、旧来からの伝統的本山については寺地の移転や変更もなく、依然として洛中内部でその影響力を保っていたことが窺える。（古川元也「中世都市研究としての天文法華の乱」／『国立歴史民俗博物館研究報告』二〇一四年）

近衛家など有力公卿に法華信徒がひろがっていたこと。焼失した京都の再建には土倉など法華衆の圧倒的な資力が不可欠だと、幕府や公家、細川氏、六角氏が考えていたことなどが、その背景にあるのだろう。

この間、法華町衆は武装を解除し、自らを圧迫してくる強大な力に対し「非暴力」で対峙するという選択をする。経済と文化の豊かな力を持った在家が、その社会的実力で相手を〝相対化〟していく戦略に出たのだ。

天文法華の乱から六年を経た一五四二年（天文一一年）一一月、後奈良天皇による「還住勅許」の綸旨が発せられて、日蓮宗の帰洛への道が開かれた。

一方、洛中に法華寺院が次々に再建されることになり、延暦寺は穏やかでなかった。今度は「法花宗は叡山末寺たるべし」（『両山歴譜』）と、日蓮宗寺院の末寺化を要求してきた。これに対して日蓮宗側は、あの問答の当事者・松本久吉の帰依する門流である妙伝寺を、中世の流儀に従って謝罪と和解の意味で焼き払うこと。そして延暦寺と関係の深い日吉大社の「御祭礼料」として毎年一〇〇貫文を進納するという条件で和平交渉を進めた。

天文法華の乱から一一年後の一五四七年六月、この和平案は成立した。

「中庸」という着地点

その後、一五六一年に六角氏が〝法華宗払い〟をするために近江から京都へ進軍するという噂が流れた。この際も、日蓮宗側は過去のような軍事的防衛ではなく、青銅三貫文を六角氏に供与することで危機を回避した。当時、軍勢が上洛する際、寺院が宿舎として強制的に接収されることは常だった。日蓮宗はこれをできるだけ拒むために、やはり資力で対応している。発見された「京都十六本山会合用書類」からは、京都の日蓮宗勢力が門流を越えて「会合」と呼ばれる連盟を結成し、財源を持ち寄って各方面にたびたび音信・礼銭・礼物を贈っていたことがわかっている。

一見すると、なにか弱弱しい対応のようにもみえなくもない。が、先にもふれたように、軍勢の寄宿をさけるため、銭を支払って「寄宿免許」(寄宿免除)の特権や禁制などを得ることが、中世ではむしろ一般的であったことをふまえるならば、きわめて現実的な対応であったとみるほうがよいであろう。(河内将芳『日蓮宗と戦国京都』淡交社)[10]

ひとくちに日蓮宗と言っても、そこには教義解釈を異にする複雑な門流の違いがある。その思想的な差異というのは、信仰上の譲れない一線となる。

日蓮の滅後、法華経の本門（法華経二八品のうち後半一四品）と迹門（前半一四品）に勝劣があるとする「勝劣派」の諸門流と、ないとする「一致派」の諸門流で、教義論争が続いていた。信仰の原理原則からすれば、こうした世界観の構築に妥協の余地はない。

しかし、天文法華の乱のあと、京都の日蓮宗が「会合」を結成する時期、勝劣派と一致派のあいだでは「永禄の盟約」という和睦協定がむすばれている。このような内外への妥協策を合意形成することは、おそらく容易ではなかっただろうと思う。なかには命を賭してでも原理原則を貫くべしと主張する僧俗もいたと想像される。

状況次第では、ふたたび天文法華の乱のような悲惨な戦火に京都の市街と無辜の人々が包み込まれかねない。信仰者が、おのれの内心の自由を守るために命を賭すことと、教団が構成員すべてを〝正義の殉教〟へと駆り立てることは根本的に意味が違う。法華町衆は非暴力によって延暦寺大衆や諸侯と合意形成し、流血の衝突を回避する道を選んだ。

「宗教的なもの」への飛翔

当時の日本社会のトップ経済人だった有力法華町衆は、抜き差しならない現実のなかで、あくまで民の安寧を最優先に、地上に楽土を建設するという大目的に立った。私はそこに「宗教のための宗教」から「人間のための宗教」への視点の転換の片鱗すら見る思いがする。法華町衆たちは、資力と交渉能力によって非暴力を貫くという選択をした。

むろん、それは権威権力に阿ったわけではない。その後の歴史を見れば、彼ら法華衆のソフトパワーが武力のハードパワーに打ち勝っていったことは明白だからだ。

宗派性の偏狭と独善を乗り越えて、もっと普遍的あるいは根源的に人間を鼓舞する〝宗教的なもの〟へと飛翔する模索が、天文法華の乱を経たのちの町衆のなかに芽生えていった。

刮目すべきことは、武装解除して商工業に専心していく彼らのなかに、金権的な強欲や放逸ではなく、むしろ厳格なまでの自己規律のモラルが形成されていくことだ。それを象徴的に体現していたのが本阿弥家だろう。

> 本阿弥家に貫かれた毅然とした倫理観、また、本阿弥一類の中で繰り返される強い結束などは、まさに法華蜂起「天文法華の乱」を体験した町衆の歩みの中で培われたものではないだろうか。天文以降、信長、秀吉の天下平定を経て一気に花開く桃山文化を眺望するに、芸術が社会に突きつける武力以上の文化の力をまざまざと見る思いがし、その中にひときわ輝く光悦の芸術活動がある。（十五代樂吉左衛門『光悦考』淡交社）

宗教性に強固に支えられながらも、桃山期から寛永期、さらに元禄期へ開花していく法華衆の芸術文化には、一見すると固有の宗派性はもちろん宗教色さえ感じられない。

誰もが「美しい」と感じられる明快で普遍的なもの。瞑想の非日常や来世ではなく、今そこにある〝いのち〟の輝きに目を凝らし、人間の暮らしと社会の営みを生き生きと彩っていくもの。法華衆の芸術には、総じて険しさや陰鬱(いんうつ)さというものがない。こうした法華芸術の揺籃となる精神性の基盤が、天文法華の乱という紛争の悲劇の〝転換〟のなかから生まれたように私には思われるのだ。

註

1——織田信長と豊臣秀吉の時代。安土桃山時代。

2——顕密体制論は黒田俊雄（一九二六—一九九三）が「中世における顕密体制の展開」（『日本中世の国家と宗教』岩波書店／一九七五年）で唱えた。〈延暦寺・興福寺・東大寺などの古代以来の伝統を誇る有力寺院＝顕密仏教は、通説で言われるように、平安後期から一方的な衰退と退廃の道を辿ったわけではなかった。彼らは従来の後援者であった古代国家が変質するや、それに代わる新たな財政基盤として荘園領主（権門寺院）として再生することに成功し、古代以来の強力な権力を体現して世俗界に権力を振るうに至った〉（佐藤弘夫「変貌する日本仏教観」／『躍動する中世仏教』佼成出版社）

3——ヴァルナ。インド社会独特の身分制度。アーリア人がガンジス流域に侵入した紀元前一五〇〇年頃に成立したと考えられている。ヴァルナは「種姓」と訳するが本来は「色」を意味し、肌の色の白いアーリヤ人が有色の非アーリヤ人を区別するために用いられた言葉。混血が進むうちに、本来の意味を離れ、身分（種姓）やその制度をさす言葉となった。バラモン（司祭者）、クシャトリヤ（王侯、武士）、バイシャ（庶民）、シュードラ（隷属民）の四つの貴賤に分ける。

4——智顗（五三八—五九七）は中国、陳から隋の僧。中国天台宗の実質的な祖とされる。湖南省の人。大蘇山にいた南岳大師・慧思に師事した。天台山にこもって、法華経の精神と竜樹の教学を中国独特の形にし、観心の修行である一念三千の法門など天台教学を確立。隋の煬帝から帰依を受けて智者大師の号を受けた。講述して弟子の章安がまとめた著作に『法華文句』『法華玄義』『摩訶止観』の三大部がある。天台大師と称される。

5――娑婆はサンスクリットのsahāの音写。「堪忍」「能忍」などとも訳され、迷いと苦難に満ち、それを堪え忍ばなければならない世界。すなわちわれわれが生きる現実世界。

6――佐古弘文「日朗門流の成立と展開」（シリーズ日蓮3『日蓮教団の成立と展開』春秋社）

7――江戸時代中期の俳人・堀麦水（一七一八―一七八三）の著作。

8――『いっきに学び直す日本史　古代・中世・近世』東洋経済

9――室町時代の公家・中御門宣胤の日記。「法華宗の繁昌」の記述は一四八一年三月二六日の記録。

10――室町時代の京都における日蓮門流のひろがり、比叡山との確執、天文法華の乱については、河内将芳氏の『日蓮宗と戦国京都』（淡交社）を参照した。

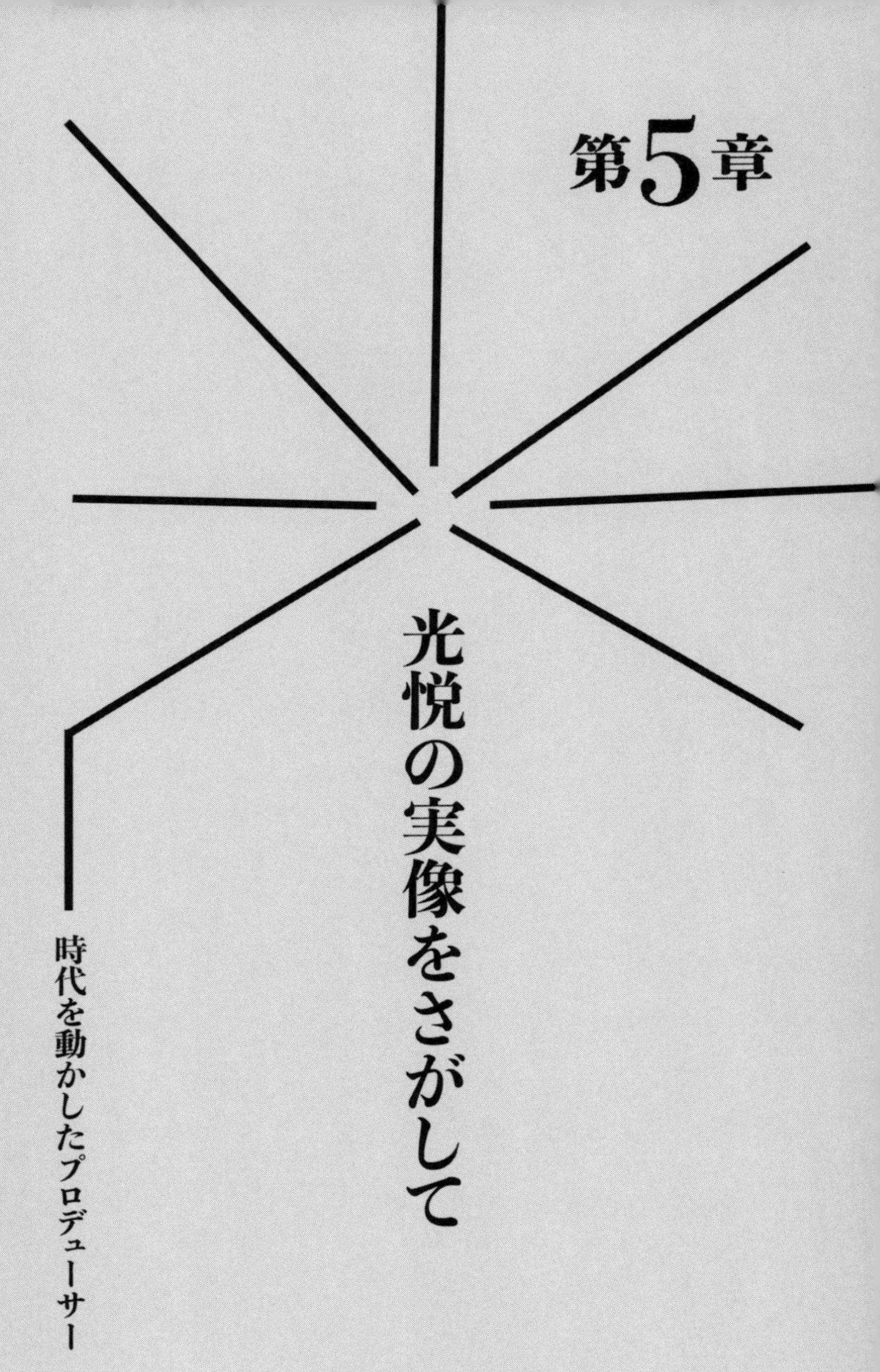

第5章

光悦の実像をさがして

時代を動かしたプロデューサー

信長に直訴した女性

私は宝ものも豊かさも評価しない。
それゆえ、いつでも私の喜びとなるのは
私の思いの中に豊かなものを置くときであり
豊かさに思いをめぐらすときではない。

メキシコの修道女にして詩人のソル・フアナ・イネス・デ・ラ・クルス（一六五一―一六九五）はこう詠った（『知への賛歌　修道女フアナの手紙』旦敬介訳／光文社古典新訳文庫）。

彼女はアメリカ大陸最初の作家であり、世界最大の版図を誇った一七世紀後半スペイン語圏で、もっとも愛された詩人だった。その肖像は現在のメキシコの一〇〇ペソ紙幣に使われている（以前は二〇〇ペソ紙幣）。彼女は植民地メキシコの農園で働く平民の娘で、自由に学問をしたいがために修道女という道を選んだ。

だからこそソル・フアナは修道女でありつつも、恋愛や女性の権利を大胆に詩に綴った。「どんなに神々しい存在も／人間の空翔（かけ）る想念を逃れることはできない。」と、自由を高らかに詠じた。

三〇〇年以上前に、男性優位社会の抑圧的な規範に対して、公然と自分の価値観を示したソル・フアナ。大胆で革新的な彼女の芸術を支えたもの。それは、虚栄や虚飾を遠ざける強い自己規律であり、真の意味での敬虔な信仰心だった。

このソル・フアナに先立つこと一世紀。暴力と抑圧的な規範が支配していた日本にも、自分の価値観に生きたひとりの女性がいた。日本美術史を画するプロデューサー・本阿弥光悦を育てた、母・妙秀（みょうしゅう）（一五二九—一六一八）である。

九〇歳まで生きた彼女は、本阿弥家七代当主・光二（こうじ）（一五二二—一六〇三）の妻として、天文法華の乱から本能寺の変、関ヶ原、大坂夏の陣まで、世の転変のすべてをその眼で見届けた。

本阿弥光悦の孫・光甫（こうほ）（一六〇一—一六八二）が編纂したとされる『本阿弥行状記』は、冒頭から妙秀の考え方や生き方を示すエピソードにずいぶんな紙幅を割いている。（以下、行状記の内容は日暮聖・加藤良輔・山口恭子 訳注『本阿弥行状記』平凡社を参照）

妙秀はまず、勇敢で道理をとおす人だった。刀剣の目利き（めき）で細工の名人だった光二は、織田信長と毎日面会するほど懇意だった。ところが周囲の者の讒言（ざんげん）で信長の怒りを買う。光二は自分に曇りなきことは天道が知ると言って蟄居した。

あの信長の逆鱗に触れたとなると、命さえ危うい。そのとき、狩りに出た織田信長の馬の口に取りついて、夫の潔白を訴えたのが妙秀だった。信長は「にくき女（腹立たしい女め）」と鐙（あぶみ）で

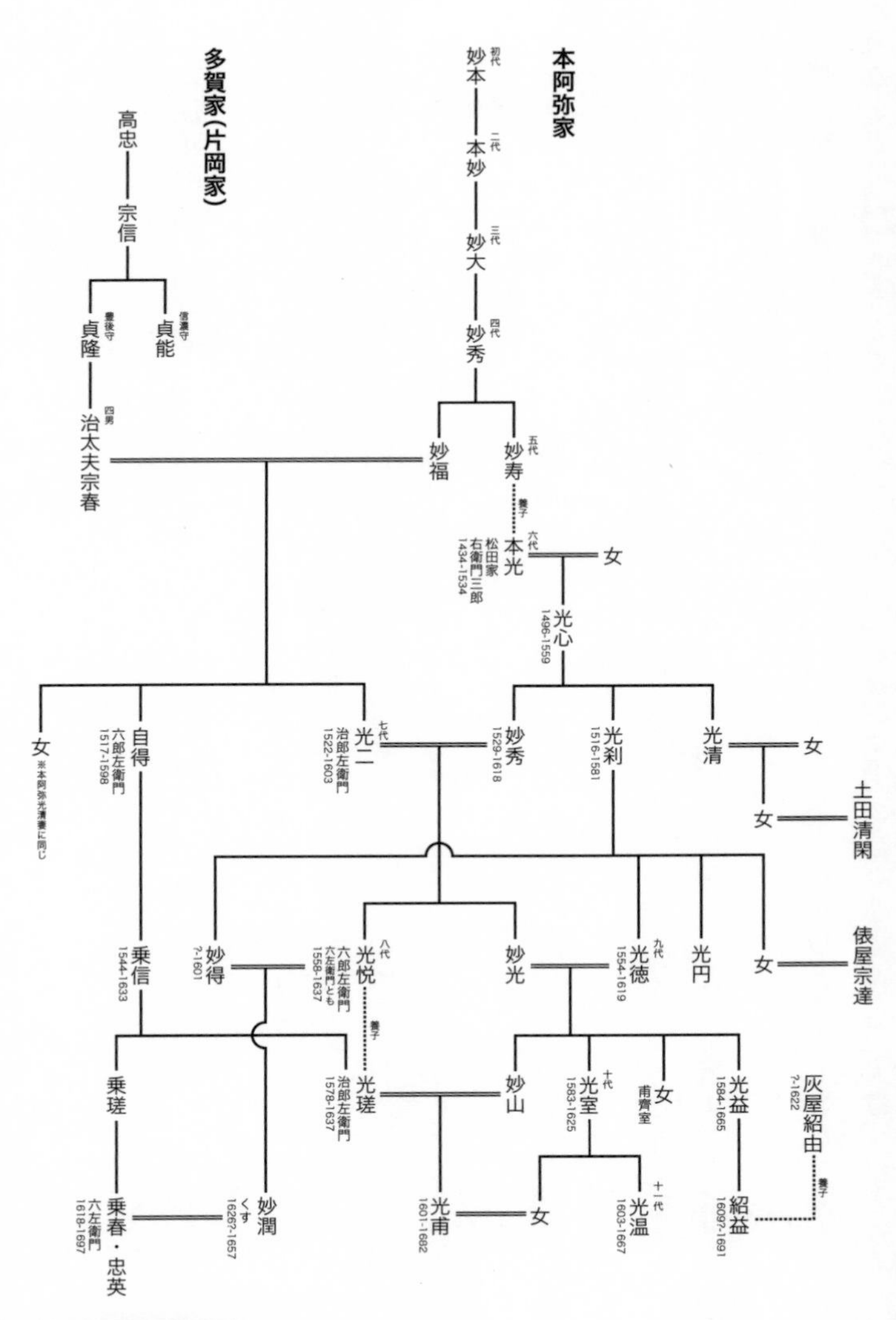

推定本阿弥家系譜
中村修也編、図録『光悦　桃山の古典』（五島美術館、2013 年）より作成

彼女を蹴り倒した。しかし妻が命懸けで直訴した姿に、信長は翌日、光二を呼び出して事情を聞き、冤罪を認めて赦免している。

法華町衆の倫理観

あるとき人を斬って追われた者が、血刀をさげたまま本阿弥家に逃げ込み、妙秀を人質にしようとした。妙秀は動じるどころか「我汝を助くべし、こなたへ来たれ」と男を納戸に押し込んで鍵をかける。そこに追手が数十人来たが、妙秀はとぼけてみせた。日が暮れて追手がいなくなってから、妙秀は男の着物を着替えさせ、編み笠をかぶせ、いくらかの金まで持たせて逃がした。

本阿弥家の家職は刀剣の研磨・拭い・鑑定。光二のもとには、諸大名などから名だたる名刀なども預けられる。

石川五右衛門という盗賊が世を震撼させていた頃のこと。本阿弥家の蔵が盗賊に破られた。盗まれた品々のうち自分のものはともかくとして、他所から預かった品を盗まれたことに狼狽(ろうばい)する夫に、妙秀は泰然として言う。

腰刀を本阿弥家にお預けになるほどの方が、盗難に遭ったからといって是が非でも返してくれなどとはおっしゃらないだろう。世に隠れなき名刀の数々を盗んだ犯人は、ほどなく捕まるに違いない。処刑されて多くの命が奪われるのは心が痛む――。

妙秀は使用人に供養の品を持たせて菩提寺の本法寺に行かせ、盗賊が見つからないよう住職に祈願することを依頼した。少女時代に天文法華の乱を体験したからだろうか。相手が誰であれ、妙秀は「殺」ということを許容しなかったのだ。


子育てについても、少しでも良い点があれば徹底的に褒める母だった。よその親が激情に駆られて子を叱っている姿を見ては「あさましき事」と眉をひそめた。誰かが資産家の嫁を探しているというような話には、「ふがいなし、禍の基なり」。兄弟などが争って恥をさらすような事案は、たいてい金銭が原因なのだから、金銀を宝と思うなと説いた。

妙秀の悲憤は、世の女性たちの身の上にも及ぶ。嫁いで子どもを産み、舅や姑の世話をさんざんしながら、用済みになると離縁される。そのような不条理を恥じない男たちについては「左様の者は必ず疎遠すべし。義理をしらぬ者は必ず災難来る也」と言い捨てた。

すぐれた茶人でもあった光悦が、あるとき瀬戸肩衝の茶入の名品に巡り合った。光悦はその価値を自らの審美眼で「黄金三〇枚」と見定め、これを入手する。光悦はこの名物を、本阿弥家が扶持をもらっていた前田利長に見せた。利長は上機嫌でこれを愛で、「白銀三〇〇枚」を下賜しようとしたが、光悦は受け取らなかった。家老衆から非礼を叱責されても、光悦は利長公のおかげで蓄えた資産で買ったものだからと言って、固辞したのだった。

光悦からその顛末を聞いた妙秀は、白銀を返上したことを大いに褒めた。もし受け取っていたなら、その肩衝茶入の価値は消え、光悦には茶の湯を楽しむ資格がなくなっただろうと、この賢母は息子を称えた。

この『本阿弥行状記』は、身内によって後代に記された「家伝」なので、厳密には一次資料とすることが難しい。とはいえ、むしろ後年の子孫たちが、光悦を光悦たらしめたものとして、また本阿弥家が継承すべき生き方として、妙秀という女性の言行をきわめて重視していたことは注目される。

法華経の思想が日本の文化芸術に多大な影響を与えたことは、否定できない事実としてある。ただし、そうした思想はクリエイターたち個々人のなかに内面化され、その発露として、はじめて外形に何らかの影響を与え得る。回路は常に、ひとりひとりの内発的なものなのだ。

一方で、法華思想がクリエイターたちのなかでどのように受容され、どのような人生観や世界観をかたちづくったのかは、ほとんど検証する術(すべ)がない。菩提寺の記録文書や墓所の存在などから、所属していた宗派や寺院は特定できても、本人の信仰観や内面世界まで詳細に追うことは、ほぼ不可能だ。

この点、信憑性に一定の留保がつくとしても『本阿弥行状記』が記す本阿弥光悦は、やや例外的に個人の人物像が垣間見える。また、光悦は数百点の書状を残している。

そして、母・妙秀については『本阿弥行状記』から、彼女の生き方やそれを支えた価値観としての法華信仰が、きわめて具体的にうかがえる。妙秀は光悦という才能を育てただけでなく、本阿弥家七代当主・光二の妻としても、天文法華の乱以降の京都法華町衆のあり方に少なからぬ影響力を持っていたと思われる。

樂家一五代の直入氏は『光悦考』で、彼女を〈本阿弥一類の「ゴッドマザー」〉と評している。妙秀の価値観を追うことは、この時期の法華衆文化を読み解く、ひとつの手がかりになるのかもしれない。

妙秀は一類の奢(おご)り、心の隙に至るまで厳しく律した。おそらくここには妙秀ばかりではなく、法華経を受持する法華町衆にひろがるきわめて良質な倫理観がうかがわれるところである。(十五代樂吉左衛門『光悦考』淡交社)

〝ママの遺伝子〟を運ぶ

生物学者の福岡伸一さんは、画家フェルメールの〝オタク〟として知られ、名文家として著作も多い。私が最初に手にした福岡さんの著書は『できそこないの男たち』(光文社新書)だった。

生命の基本仕様は、すべてメスである。地球上に生命があらわれてから最初の一〇億年間、すべての生命の性はメスのみ。生命の継承は単純にコピーを繰り返しておこなわれていた。しかし大気中に酸素が増えてくると、酸化という問題が生じるようになる。地球環境の変化が大きくなるにつれ、生命もまた多様性と変化を求められるようになった。遺伝子をコピーするだけの仕様では、種全体の絶滅の恐れがある。

生命は賢明なシステムを開発した。自己複製するのではなく、自分の遺伝子を別のメスと掛け合わせることで、新しいタイプの子どもを作るのだ。そこで、メスから別のメスへ遺伝子を運ぶため、必要最小限だけオスというものが必要となった。オスとは、そのために仕様変更されたメスなのだという。

本来、すべての生物はまずメスとして発生する。なにごともなければメスは生物としての基本仕様をまっすぐに進み立派なメスとなる。このプロセスの中にあって、貧乏くじを引いてカスタマイズを受けた不幸なものが、基本仕様を逸(そ)れて困難な隘路(あいろ)へと導かれる。それがオスなのだ。

ママの遺伝子を、誰か他の娘のところへ運ぶ「使い走り」。現在、すべての男が行っていることはこういうことなのである。アリマキのオスであっても、ヒトのオスであっても。

（福岡伸一『できそこないの男たち』光文社新書）

二〇一三年に五島美術館で開催された「光悦 桃山の古典（クラシック）」。その図録に中村修也・文教大学教授の編になる「推定本阿弥家系譜」が掲載されている。

じつは、妙秀は本阿弥家の本家の娘だが、祖父・本光が養子だったので、生物学的には本阿弥家初代以来の血を継いでいない。一方の光二は片岡家の人間ながら、母・妙福（みょうふく）は本阿弥家四代（なぜかこの人物も妙秀という名前）の娘。系譜をつぶさに見ていくと、妙秀が夫の光二から受け取った本阿弥家の〝ママの遺伝子〟を、巧みに他の娘へと受け渡しながら、本阿弥家の血統を残すべく配慮したことがうかがえる。

つまり、本阿弥家は光二を妙秀の婿に迎えることで、初代・妙本の遺伝子を妙福から妙秀へとふたたび運び入れたのだ。妙秀は、曾祖母・妙福から受け取ったその遺伝子を、慎重に後代へ残そうとした。科学的な知見が乏しい時代ゆえに、妙秀はそこに自分が大切に貫いた価値観が後継されると信じ願っていたのだろう。

日蓮が重視した「人格の錬磨」

世の諸侯とつきあう富裕な町衆でありながら、徹底した清貧、倫理観、道理へのこだわり。それは、妙秀という女性が本来そなえていた資質だったのだろう。同時に、彼女は祖父・本阿弥本光から法華信仰を引き継いでいた。

妙秀にとって法華の信仰とは、教条的に閉じた特殊な価値観に生きることではなかった。法華の信仰が彼女の人格のうえに、楽観主義、開かれた精神、怖れを知らない勇気、徹底した倫理観と公正さ、欲望の制御、弱者への同苦、生命の尊厳といったものとして結晶していたこと。ここをこそ、私たちは眼を見開いて注視しなければならない。

じつは、日蓮が門下に与えた書簡にも、こうした〝めざすべき人格〟への具体的な諸注意が数々出てくる。もっとも繰り返したことは、何があろうと怖れず、憂えず、心を鍛えよということ。自己を統御する智慧を持ち、忍耐強く、放逸にも極端な禁欲にも傾かず、中道を歩む。ことに在家に対しては、社会規範としての道理を尊重して、家職に専念し、誠実に、賢明に、社会から共感され信頼される人間をめざせと指導している。

日蓮にとって「成仏」とは、一面からいえば今世での人格の錬磨、自己変革そのものだったように思われる。個々人の〝人格の錬磨〟を抜きにして、拝んでさえいれば世のなかが泰平になり人生がうまくいくという信仰ではないのだ。

それは、あるいは歴史のなかの束の間の奇跡だったのかもしれない。けれども天文法華の乱を経験したのち、京都の法華町衆のなかから絢爛とした桃山の美が生まれたことは、こうした法華町衆たちの内発的なものと密接不可分だろうと思う。そうした人格の錬磨に支えられた強靭な精神なくして、単に権威権力に阿ってつくられた美であったならば、今日の世界の人々を魅了するはずもない。

妙秀が「殺」ということを徹底して忌避したことは、息子の光悦にも影響を与えたと思われる。大坂夏の陣をもって、日本は「戦争の時代」から「平和の時代」に移った。武器としての刀剣を扱っていた本阿弥家の家職は、美術工芸品としての刀剣を扱うものへ性格を変える。

この大坂夏の陣の一六一五年、すでに光悦は五八歳。それまで目立った創作活動の痕跡の多くない彼が、国宝や重要文化財となる幾多の作品群を残し、総合プロデューサー的な立場で法華衆の絵師や職人たちと協働するのは、主にこれ以降のことだ。

「目利き」の眼光

一九八四年五月のこと。ふたりの日本人男性がロンドン郊外のターナムグリーンに部屋を借りた。そこで自炊生活をしながら、片道一時間をかけて地下鉄で大英図書館に通うことが彼らの日課となった。

渡英にいたるまで、水面下で数年におよぶ膨大な準備と交渉を要した。ふたりが大英図書館でとりかかることになった作業。それは、ここに所蔵される日本の古典籍資料の全貌を把握するという、前人未到の仕事だったのだ。

大英図書館には、E・ケンペル、フォン・シーボルト、W・アストン、アーネスト・サトウらが日本で蒐集した、奈良時代から江戸時代までの和漢書の古典籍が収められている。日本国内にも存在しない稀覯本、国内に一部か二部しかないような善本なども多数含まれていた。

それらは、単に幕末に来た外国人が異文化理解のために蒐集したというレベルのものではない。価値を理解した人間によって周到に厳選されたもの。日本国内の第一級のコレクションにも劣らない最高水準のものだった。❖1

ターナムグリーンに陣取ったのは、書誌学者にして日本文化史の泰斗として知られた川瀬一馬氏（一九〇六―一九九九）と、川瀬氏の薫陶を受け右腕となっていた岡崎久司氏（一九四二―）。このふたりは、おそらく日本でもっとも数多くの和漢古典籍を読み込んだ人間といってさしつかえないだろう。しかも、目の前にある書誌が、いつの版で、日本文化史の全体像において、どのような意味と価値を持つのかを峻別する眼を持っている。その該博は、謡、華道、香道、書、和歌、茶道、弓道にまでおよぶ。

ふたりが取り組んだ足掛け六年におよぶ調査は、川瀬さんが九〇歳になった一九九六年、『大英図書館所蔵和漢書総目録』（講談社）として結実した。

当時から五島美術館、大東急記念文庫の学芸員だった岡崎さんは、その後、大東急記念文庫学芸部長、早稲田大学客員教授などをつとめ、現在も五島美術館の諮問委員をなさっている。国が文化財などを買い取ろうとする際には、文化庁の評価員がその価格を評価する。岡崎さんはその職を引き受けていた時期もあった。日本文化を見る当代きっての〝目利き〟の人なのだ。

二〇二〇年の初秋。思いがけず、この岡崎久司さんとお会いする機会があった。わがBUNBOUの高橋伸城が「法華衆の芸術」[❖2]という論考を準備することになり、岡崎さんと親交の深い友人が懇談の席を設けてくれたのだった。

高橋の付き添いで出かけた私は、すでにこの『蓮の暗号』の草稿らしいものを書きはじめてはいたが、山の大きさに矢折れ刀尽きて立ち往生していた時期だった。高橋に続いて私が名刺を差し出してご挨拶した。岡崎さんは名刺に視線を落としてから私の顔を一瞬じっと見て、「人生の焦点が定まってきて、アンテナが全開で立っているといった感じですね」とおっしゃった。私がまだ何も言っていないのに、である。

三時間余り和やかな懇談が続いた。何の話になっても岡崎さんの口からは、人物名、作品名、年代まで、スラスラと出てくる。博覧強記（はくらんきょうき）というのは、こういう人に冠する言葉なのだと実感した。話題は高橋の研究対象である本阿弥光悦に移っていった。

そろそろお開きという頃。立ち上がりかけたわれわれに、それまで穏やかな顔だった岡崎さんが、一瞬、鋭い眼光で言われた。

「光悦は嵯峨本（さがぼん）の仕事をするようなレベルの人間ではありません。京都町衆のなかにあって、光悦は家康でさえ軽々に扱えなかった、もっと重い立場の人間だっただろうと私は考えています」。

通説を遠ざける

嵯峨本とは何か。たとえばネットで検索するとこういう説明が出てくる。

> 江戸初期、京都嵯峨の素封家角倉素庵（角倉了以の子）が本阿弥光悦の協力のもとに刊行した私刊本の総称。角倉本、光悦本ともいう。雲母を刷り込んだ美しい用紙にかな文字の木活字を用いた美術的価値の高い印刷物。《観世流謡本》《伊勢物語》《徒然草》その他が現存。（『百科事典マイペディア』平凡社）

豊臣秀吉は朝鮮への侵攻を図った「文禄の役」（一五九二～九三）の際に、かの地から銅活字を持ち帰った。これが日本の活字出版文化に大きな変化をもたらすことになる。出版点数の飛躍的な増加だけではない。仮名文字活字の発明によって、仏典や漢籍ばかりだった日本の出版文化が、ここから謡曲、和歌、物語文学といった仮名まじりの国文学書へ転換するのだ。

江戸中期になって、慶長（一五九六～一六一五）・元和（一六一五～一六二四）年間に刊行された本のなかに、美術的価値の高い共通項を持った本が見出される。これが「嵯峨本」と称されるようになった。京都の太秦（うずまさ）や嵯峨には、室町期に中国から来朝した印刷職人の末裔（まつえい）や、彼らに学んだ日本人職人たちが住していて、高度な印刷技術があった。これが「嵯峨本」の名の由来だ。

岡崎さんはMOA美術館で開かれた「光悦と能 華麗なる謡本の世界」展（一九九九年）図録に「嵯峨本再考」と題する論考を寄せている。

そこではこれまで嵯峨本の要件とされてきたものを、①本阿弥光悦が自ら版下を書いたもの、②装丁に美術的な意匠が施されたもの、③光悦と近似する書風を持ち、美術的な装丁も②に劣らないもの、と整理している。

先の百科事典の記述のように、従来の通説では嵯峨本は光悦と角倉素庵の協働とされている。①と②を兼ねることが基準で、それに次ぐ③も嵯峨本に認められてきた。

「嵯峨本」とされてきた書物には、たしかに本阿弥光悦風の書体が躍（おど）ってはいる。けれども、どこまでも〝風〟に過ぎない。『本阿弥行状記』にも『にぎはひ草』にも、大量に残された光悦の書簡にも、彼が嵯峨本に従事したことに触れた記述は一切ない。

岡崎さんは「嵯峨本再考」で慎重な検討をし、光悦が積極的に角倉素庵とともに一大出版事業に取り組んだという明証はどこにもないことを指摘した。

光悦自筆の版下絵和歌巻が多数現存する。それらは、江戸初期を代表する作品であること疑うべくもない。光悦書風を濃厚に偲ばせる作例中には、光悦が依頼を受けて、版下書に筆を揮ったものが交ると思いたい。
（中略）
光悦版下書の作例があることと、光悦が身をのり出して出版事業を行ったとするのとは別のことである。（「嵯峨本再考」／図録『光悦と能 華麗なる謡本の世界』ＭＯＡ美術館）

岡崎さんは、この自身の見解を生前の川瀬翁とも長時間議論したという。最終的に川瀬翁は岡崎さんの考え方に理解を示した。「嵯峨本」と光悦のかかわりについて、通説を遠ざける岡崎さんの指摘はきわめて説得力を感じる。

ただ私にはそれ以上に、終始穏やかに話されていた岡崎さんが、一瞬真剣な目で、光悦が当時の社会でいかに重い存在であったかを強調されたことのほうが印象深かった。

サロン文化と法華

本阿弥光悦は、考えるほどに謎めいた不思議な人物なのだ。

光悦作とされる国宝は三件（陶芸一件、漆工二件）。重要文化財指定は一九件（書六件、陶芸六件、漆工七件）。

ところが、光悦はほかの絵師や職人と違って、創作を生業（なりわい）としていた形跡がない。本阿弥家の家職は、あくまでも刀剣の研磨・拭い・鑑定。言ってみれば、アマチュアの余技の分野で光悦は日本美術史上に特筆される天才ぶりを発揮したことになる。

しかも、こうした創作の痕跡が見えるのは、八〇年の生涯のうち主に四〇代も後半に入ってから。光悦は五五歳の頃に、おそらく脳梗塞（のうこうそく）を患ったようで、「中風（ちゅうぶう）」つまり手の震えなど身体に障害を持った。そのことは、残された筆致の変化にも如実にあらわれているという。若い頃の流麗な書体から、あきらかに身体の不自由を引き受けて筆運びを工夫した文字に変わっているようにも見える。

光悦は「寛永（かんえい）の三筆」❖3に数えられた能書家だ。しかし今に残る光悦の書状は、むしろ脳梗塞を経て以降のものが多い。病魔によって活動を遮られるどころか、光悦は俄然（がぜん）、他者とコミュニケートし、クリエイティビティを発揮していくのだ。

もちろん筆致だけで制作時期を安易に特定していいのかという議論もある。光悦に関しては、とかく通説が独り歩きしがちな点に注意を払わなければならない。

これまで見てきたように、室町期以来の京都には富裕な商工業者が生まれ、町々に居住していた。京都の富裕な町衆のあいだには日蓮門流への信仰が急速にひろまっていた。本阿弥家はこうした法華町衆の代表格のひとつだった。

たとえば同じ法華町衆で「京の三長者」と言われることになる茶屋家、角倉家、後藤家は、呉服や朱印船貿易、彫金や貨幣鋳造で富を築いていた。これに対し、本阿弥家は刀剣の研磨・拭い・鑑定。ことに鑑定という仕事は、見識は当然として、高い職業倫理と信用を抜きには成り立たない。なにしろ本阿弥家が付けた「折紙（おりがみ）」（鑑定書）で、その家の刀剣の価値や真贋が決まるのだ。安値でいいから売却したいと持ち込まれた錆（さ）び刀が、じつは本阿弥家の鑑定の結果、正宗（まさむね）[4]作の名刀だったこともある。

富裕な上層町衆であったことには違いないが、本阿弥はなによりも織田、豊臣、徳川家の刀剣さえ扱う家として、広く世の信用を得ていた。その信用が、本阿弥家を特別な存在にしていた。

二〇代、三〇代の時期、光悦は何をしていたのだろうか。残された書簡から、若い時期から観世（かんぜ）流の能に親しんでいたことは確認できる。七歳ほど年下の観世大夫身愛（だゆうただちか）とは生涯の長い交友だった。

能や連歌、茶の湯は、公家、武家、町衆を問わず当時のハイクラスの必須教養。天文法華の乱のあと武装解除した法華町衆は、家職に専心する一方で、こうしたサロン文化を介して支配階級とコミュニケーションを深めていった。

『鹿苑日録』の光悦

千利休が養子とした少庵の住まいが、一五九〇年に区画整理の対象となったとき、門前の土地を斡旋したのは本阿弥家が大檀越をつとめる本法寺だった。

利休が秀吉から自刃を命じられたあと、千家は存亡の瀬戸際にあった。しかし、徳川家康と蒲生氏郷が連名で「許し状」を秀吉に宛てて勘気を解き、一五九四年頃、少庵は無事に京都に戻って千家は復興した。

この際、法華町衆で本阿弥家の目と鼻の先に住んでいた樂家の祖・田中宗慶と二代常慶も尽力している。[5] そして当然、どちらも本阿弥家が重要な役割を果たさなかったはずがない。これらの時期、光悦は三〇代だった。

興味深い事実がある。区画整理の前年にあたる一五八九年（天正一七年）六月二三日、光悦が相国寺[6]に禅僧の西笑承兌を訪ねたことが、相国寺鹿苑院歴代院主の執務録『鹿苑日録』に残っている。西笑承兌は前年まで院主の座にあり秀吉の外交政策や宗教政策のブレーンをつとめていた実力者なのだ。

また少庵が許される直前の一五九三年（文禄二年）一月二日の『鹿苑日録』に、やはり光悦が相国寺鹿苑院に院主・有節瑞保を訪ねたことが記録されている。正月に会ったことは、瑞保にとって光悦が軽んじるべき相手でなかった証左だろう。

いずれも用件は定かでない。ただ、少庵の住まいが移動した時期、勘気が解かれ帰洛が許された時期に、光悦が秀吉のブレーンと面会できる関係にあったことは注目される。

光悦の父・光二が没するのは一六〇三年の暮れ。光悦は数え年四六歳。おそらく光悦は父が前田家から得ていた扶持（ふち）を相続したと思われる。今に残る光悦作とされる作品が登場するのは、主にこの時期以降だ。

しかし、私のなかに浮かんでくる本阿弥光悦という人の像は、青年期から晩年まで一貫してピース・ビルダー（平和構築者）としてのそれなのだ。「殺」ということを徹底して許容しなかった母・妙秀。父祖から聞いた天文法華の乱の悲劇。光二が没した年は、徳川家康が征夷大将軍に就いた年でもある。

やがて徳川勢と豊臣勢の衝突する日が来ることも、あるいは光悦は早くから予見していたかもしれない。朝廷を巻き込んで京都をふたたび戦火で焼くようなことは避けなければならない。京都の朝廷と江戸の幕府が、平和裏に共存する体制を築く必要がある。

私の空想のなかの光悦は、そのためにいよいよ奔走しはじめるのだった。

鷹峯を巡る謎

二〇一九年一一月。ラグジュアリー・リゾートの代名詞ともいえる「アマン」が、東京と伊勢に続き日本で三軒目となる「アマン京都」をオープンさせた。物見高い人間としては、はて、京都のどこにアマンを開業できるような場所があったのだろうかとグーグルマップで調べてみる。なんと、洛北・鷹峯(たかがみね)にある光悦寺から天神川を挟んだ、すぐ南隣の山裾だった。さすが「アマン」である。

JR京都駅から山陰本線に乗り二条駅で降りる。すぐ東側には千本通(せんぼんどおり)が南北に走っていて、そこを越えれば、もう二条城の裏手になる。千本通は、かつての平安京のメインストリート・朱雀大路(すざくおおじ)の名残り。平安京の時代は幅八〇メートルを超す道路だった。この千本通を北上すると、今出川通(いまでがわどおり)を越えたところから、同じ道が鷹峯街道になる。緩(ゆる)やかな坂が続く鷹峯街道を登り切った左手の高台にあるのが光悦寺。四〇〇年前、この一帯に「光悦町」が存在した。

『本阿弥行状記』と『本阿弥次郎左衛門家伝』は、一六一五年(元和元年)❖[7]に本阿弥光悦がこの地を徳川家康から〝拝領〟したと記している。

大坂夏の陣で豊臣家を滅ぼした家康は、駿府(すんぷ)へ引きあげる途中、二条城で京都所司代の板倉勝重(いたくらかつしげ)❖[8]に「本阿弥光悦はどうしているか」と尋ねた。家康は竹千代と呼ばれていた今川家の人質時代から、光悦の父・光二と親しくしていたと『本阿弥行状記』は伝えている。

勝重は、光悦が存命であることを告げ、

> 異風者にて、京都に居あき申候間、辺土に住居仕度よしを申（『本阿弥行状記』）

と家康に報告した。〝光悦は変わり者で、京都に住み飽きたので、どこか辺鄙な土地で暮らしたいと申しております〟と。それを聞いた家康が、近江あるいは丹波から京都に通じる道のあたりに広々と土地を与えるよう指示した。こうして〝拝領〟したのが「鷹が峰の麓なり。東西二百間餘り、南北七町の原」（『本阿弥行状記』）だと記している。

この二つの記録は後年の身内による家伝であり、信憑性には留保がつく。幕府の公式記録『徳川実記』にも鷹峯の土地に関する記述がない。それでも光悦が鷹峯になんらかの活動拠点をかまえたこと自体はまちがいない。書簡にもたびたび登場するし、なにより儒学者・林羅山も京都所司代・板倉重宗（勝重の息子）の案内でここを訪れている。

光悦寺に残るとされる古地図には、御土居❖9を越えた鷹峯街道を挟むようにして、本阿弥一族のほか、同じ法華衆で姻戚でもある豪商・茶屋四郎次郎や尾形光琳の祖父・尾形宗伯らの住居も記されている。さらに、蒔絵師の土田、金箔屋の喜三郎、経師の紙屋宗二、筆師の筆屋妙喜、唐織屋の蓮池、塗物師の藤十郎など、職人たちの住居も並ぶ。ただし光悦が作陶を習った樂家は鷹峯には来ていない。

この古地図が同時代に実際の「光悦町」を記録したものなのか、後世の創作なのかは判断がつかない。光悦の曾孫・光伝(こうでん)の口上(こうじょう)書写によれば、税も免除されていた。

「光悦町」の地子や年貢は、「六十年に余り」光悦一族と住人による「作取」という免税措置がとられていたことがわかる。(河内将芳「近世初頭の京都と光悦村」/河野元昭編『光悦琳派の創始者』宮帯出版社)

京都の人口増加に伴うものだろう。やがて鷹峯の一帯には新しい住人が住み着くようになり、勝手に借家経営まではじめる。彼らは土地の所有権を主張するようになり、裁判の結果、一六七九年に本阿弥家は敗訴。土地は本阿弥家から「召上げ」られたと『本阿弥次郎左衛門家伝』は記している。

東照大権現(とうしょうだいごんげん)様から〝拝領〟したはずの土地が公儀に没収されるというのは不可解な話だ。拝領したことを示す証拠の公文書が本阿弥家には存在しなかったのだろうか。

本阿弥家と徳川家

大坂夏の陣があった一六一五年には、ある事件が起きている。亡き千利休に次ぐ天下の茶人・古田織部が、豊臣方への内通があったとして家康の命で自刃させられたのだった。

日蓮宗内の「不受不施派」と「受不施派」の教義論争も、かねて家康の嫌うところだった。日蓮宗が市民権を得ていくなかで、信者以外からは供養を受けず施さずという厳格な「不受不施派」と、柔軟に対応しようとする「受不施派」の対立が起きていた。

豊臣秀吉は一五九五年に方広寺大仏殿を建立した際、すべての宗派の僧に出仕を命じて千僧供養会を催した。このとき、妙覚寺の日奥は「不受不施」が宗祖以来の精神だと主張して出仕を拒み、丹波へ隠棲した。あとの日蓮宗諸寺は天下人の命に従って出仕する。

この千僧会を機に、秀吉によって中世までの「八宗」が再編された。

千僧会においては新たな八宗として、①真言、②天台、③律、④禅、⑤日蓮、⑥浄土、⑦時衆（「遊行」と表現された）、⑧真宗（「一向宗」と表現された）が定められた。（曽根原理「近世国家と仏教」『新アジア仏教史13 日本III 民衆仏教の定着』佼成出版社）

ここから日蓮宗内の教義論争が激しくなり、一五九九年（慶長四年）一一月、内大臣・家康は

日奥と妙顕寺・日紹に大坂城内で宗論をさせた。家康は日奥を非と裁定し、袈裟と数珠を剥ぎ取って対馬に流罪している。❖10

光悦の属する本法寺は穏健な「受不施派」ではあったが、実際には受不施の寺々の法華衆にも日奥の人柄を慕う者は多かった。また、茶人である光悦は自刃させられた織部と交友関係がある。

こうした経緯から、家康が光悦に鷹峯の土地を与えたとする理由を、光悦の影響力を警戒して洛外に追放したのではないかという見方がある。

しかし、私はこの説にはほとんど説得力を感じない。

簡単に日本史をおさらいしておきたい。秀吉は一五九〇年に北条氏を滅ぼすと、徳川家康に北条の旧領だった武蔵・相模・伊豆・上総・下総・上野の六カ国への転封（国替え）を命じた。そして一五九八年に秀吉が没すると、家康の地位は高まっていく。

一六〇〇年の関ケ原の戦いで勝った家康は、敗けた西軍の大名の改易（取り潰し）や減封をおこなって六二〇万石を没収。一六〇一年には板倉勝重を京都所司代に任命し、朝廷や豊臣家、西国大名への監視体制を敷いた。

一六〇三年、家康は右大臣征夷大将軍に就いて江戸幕府をひらく。豊臣家は摂津・河内・和泉を支配する一大名家に過ぎなくなった。家康は着々と体制固めを進め、一六〇五年には息子の秀忠に将軍職を譲って、自身は大御所として駿府で実権を握った。

一六一一年、後陽成天皇から譲位され後水尾天皇が一五歳で即位。すると家康は、まだ五歳だった内孫（秀忠の娘）和子の入内を申し入れている。後年に尾形光琳の実家・雁金屋のクライアントとなった、あの東福門院和子だ。

実際に和子が入内するのは家康の死後一六二〇年になるが、家康が大坂の陣より早い時期から徳川家と天皇家の婚姻を準備し、権力の正統性の確立に努めていたことがわかる。


京都所司代になった板倉勝重は、本阿弥光悦と良好な人間関係を築いている。京都の行政を預かる身として、法華町衆の代表格である本阿弥家とのコミュニケーションは不可欠だった。実際、板倉勝重は人柄も政治手腕もすぐれていた。光悦は勝重とも息子の重宗（一六二〇年に京都所司代を継ぐ）とも終生、交友している。

家康が朝廷から征夷大将軍に任ぜられるにあたっても、京都所司代の板倉には相当重要な役回りがあったと思われる。朝廷を政治から切り離し、徳川幕府の権威の正統性をつくり上げること。おそらく、これが板倉にとって最重要の任務だったのではないか。


幕府側としても本阿弥家や角倉家のような有力町衆や、影響力のある文化人をリードすることは京都支配の上で必須だったのである。

そうしたことから、この京都所司代・板倉氏の邸宅は一種のサロンと化し、様々な文化人が出入りしていた。（サントリー美術館学芸員・柴橋大典『寛永の雅』図録所収／サントリー美術館）

樂家の二代常慶と三代道入が江戸に赴いた際、光悦は二代将軍・徳川秀忠の側近・曾我又左衛門に宛てて書状をしたため、親子を徳川家に「御引廻」してくれるよう念を入れた書きぶりで依頼している。

結果、樂家は徳川家への御出入りを許される。このことは、光悦が徳川将軍家と太いパイプを持っていたことをあらわしている。

なぜ光悦がここまで樂家に肩入れしたのかについて、樂家一五代直入氏は、こう記す。

世話になった手遊びの茶碗造りの返礼などは、理由とはならないだろう。いやもっと強い結びつきがある。おそらくその根底にあるものは法華信徒の強い絆、同朋意識ではないかと考えている。（十五代樂吉左衛門『光悦考』淡交社）

禁中並公家諸法度

一六一五年七月。徳川幕府は大坂夏の陣の決着がつくなり、間髪入れずに「禁中並公家諸法度」（当初の名称は「公家諸法度」）を出した。当然これは相当に従前から用意され、天皇家や公家が素直に受け入れざるを得ないよう、入念な下準備がされてきたのだろう。徳川和子の入内宣下は、すでに一六一四年春におこなわれている。

諸法度の第一条には、

> 天子諸藝能之事、第一御學問也（天皇が修めるべき第一は学問である）
>
> 和歌自光孝天皇未絶、雖爲綺語、我國習俗也。不可棄置云々。所載禁秘抄御習學専要候事（和歌は光孝天皇から未だ絶えないものであり、表面を飾った美しい言葉であるといっても、わが国のならわしである、捨ておいてはならない。『禁秘抄』に掲載されているこれらは、学習のもっとも重要なところである）

とある。天皇はもはや政治に関与せず、学問を第一として、順徳天皇が『禁秘抄』に有職故実を定め記したように和歌に専念せよというのだ。

ここで気がつくのは、本阿弥光悦の最初期の作品とされているのが、《月に秋草下絵新古今和歌色紙》（一六〇六年／北村美術館所蔵）、《桔梗下絵新古今和歌色紙》（一六〇六年／大和文華館所蔵）、《藤下絵新古今和歌色紙》（一六〇六年／個人蔵）と、和歌を題材にしたものであることだ。和歌に詠われた植物の力強い絵の上に、光悦の流麗な筆で和歌が綴られており、いずれも慶長一一年一一月一一日の日付と「光悦書」の署名が入っている。古（いにしえ）の和歌の美しさをあらためて視覚的に強く訴えかけるものになっている。

以前に記したように、家康が征夷大将軍になった一六〇三年、本阿弥光二が没して光悦が分家の家督を継いでいる。徳川幕府と京都の朝廷の関係を安定した形に着地させ、「武の時代」から「文の時代」へ転換させるべく、新たな芸術文化を創造したいという思い。それは、徳川家側にも本阿弥家側にも共通していたのではないか。

宮廷文化の揺籃

さて、話を鷹峯に戻そう。あの「異風者にて……」という『本阿弥行状記』の記述が本当だとして、大坂夏の陣を終えた家康が板倉勝重に光悦のことを尋ねたのは不自然ではない。光悦が脳梗塞と思われる病で身体に麻痺（まひ）を得たのが、おそらく五〇代半ばの一六一二年頃。大坂夏の陣の一六一五年当時は、リハビリに励みながら活動の意欲をいよいよ盛んにしていたのではないか。

当時、京都は人口が増加し、本阿弥家のように都心部に暮らす古くからの上層町衆にとっては、いささか息苦しい街になっていた。光悦が本当に「京都に居あき申候」（京都に住み飽きた）と言ったかどうかは甚だ疑問だが、光悦の寛げる場所を郊外に下賜するよう、板倉勝重が家康にはたらきかけた可能性を私は考える。

『本阿弥行状記』も『本阿弥次郎左衛門家伝』も、鷹峯拝領は板倉勝重を通して光悦に伝えられたと記述している。和子の入内を控えた時期。京都の事情を一番把握している板倉の判断を、家康も尊重しただろう。

秀吉時代の洛中防衛線だった御土居のすぐ外側。洛北の鷹峯は、本阿弥家の京屋敷から二キロあまり。なだらかな坂を上った現在の光悦寺からは、洛中の景色が一望できる。その景観は林羅山が絶賛し、四〇〇年後に「アマン京都」が真隣にできたほどだ。

能書家で知られていた光悦のもとには、さまざまな要人から書の依頼があった。板倉勝重も短冊の揮毫を依頼したことが記録に残っている。

光悦がリハビリを兼ねて京屋敷と往来し、自然のなかで英気を養いながらゆったりと筆を執り、さらなる文化の創造へ客人たちと交流するサロン。板倉勝重が家康を動かして実現させた鷹峯「光悦町」の初期の実像は、このようなものではなかったかというのが現時点での私の想像なのだ。

家康は豊臣家を滅ぼして駿府へ引きあげる途上。〝下賜〟が徳川幕府の公式記録にないのは、光悦が町人であったことに加え、家康が内諾を与えて板倉の裁量に任せたからではないだろうか。

この鷹峯の「光悦町」が実際にどのような経緯で誕生したのか、確実な証拠資料はない。しかし『本阿弥行状記』の記述を信じるならば、そこにはやがて本阿弥一族ほか、さまざまな美術工芸に属する職人が住まいをかまえることになる。

さらに、一帯には光悦の養子・光瑳（こうさ）によって「法花（ほっけ）の談所」が建立され、それが常照寺となった。また光悦の母・妙秀の菩提所として妙秀寺ができ、「天下の御祈祷」をするための知足庵（瑞芳寺）と、光悦の死後に菩提所として光悦寺が順次建てられたとある。

信の志ある道心者を集めて昼夜十二時声を絶さず、替る／＼法花（ほっけ）の首題を唱へ奉り（『本阿弥行状記』）

南無妙法蓮華経の題目を唱える声が昼夜に途切れなかったというのだ。ただ、この鷹峯の「光悦町」が最初から〝芸術村〟や〝宗教的な理想郷〟として建設されたとは、私には思えない。すべては想像のなかでしかないが、関ヶ原から大坂夏の陣までの一五年間、光悦は光悦の立場と信念で京都を守り、安定した平和の世を実現させようと創造性を発揮した。同じ時期、京都所司代になった板倉勝重もまた、泰平の世をめざして幕府と朝廷の融和を講じた。新しい文化を興して徳川の威風を高め、天皇家を穏便に政治から切り離すため渉外戦を重ねた。両者はともに、文化というソフトパワーをもって平和裏に社会が転換するよう奔走した。

豊臣家が滅び、元和偃武（げんなえんぶ）❖11のパクス・トクガワーナが開幕した刹那（せつな）に、光悦が家康から鷹峯の広い土地を与えられた。もし事実だとすれば、それは光悦と板倉の努力がたどり着いた、ひとつの凱旋門だったのかもしれない。

やがて京都を揺籃として、宮廷文化としての寛永の雅（みやび）が花開いていくことになる。

註

1――岡崎久司による「あとがき」(川瀬一馬『日本における書籍蒐蔵の歴史』吉川弘文館)
2――高橋伸城『法華衆の芸術』は二〇二一年一二月に第三文明社から刊行された。
3――近衛信尹、本阿弥光悦、松花堂昭乗。「洛陽の三筆」とも称された。
4――鎌倉時代末期から南北朝時代に活躍したとされる相模国鎌倉の刀工、岡崎五郎正宗。
5――十五代樂吉左衛門『光悦考』淡交社
6――足利義満が創建した臨済宗相国寺派の大本山。京都五山第二位に列せられる。正式名称は萬年山相國承天禅寺。
7――一六一五年は慶長二〇年だったが、旧暦五月の大坂夏の陣で豊臣家を滅ぼすと、同七月、徳川幕府は朝廷に元和と改元させた。
8――板倉勝重(一五四五―一六二四)は初代の京都所司代。三河の人で幼くして出家していたが父や兄弟が戦死したため還俗して板倉家を継ぐ。所司代としての政治手腕の評価は高く、『板倉政要』として記録が残されている。「島原の乱」の際に幕府側の総大将となって戦死した板倉重昌(一五八八―一六三八)は勝重の三男。
9――天下統一を成し遂げた豊臣秀吉が、長い戦乱で荒れ果てた京都の都市改造の一環として外敵の来襲に備える防塁と、鴨川の氾濫から市街を守る堤防として一五九一年に築いた土塁。東は鴨川、北は鷹ヶ峯、西は紙屋川、南は九条あたりに沿って築かれた。土塁の内側を洛中、外側を洛外と呼び、要所には七口を設け、洛外との出入口とした。鞍馬口、丹波口などの地名はその名残。江戸時代になると御土居は次第に無用の存在となり、市街地が洛外にひろがるにつれ堤防の役割を果たしていたものなどを除いて次々と取り壊され、北辺を中心に僅かに名残をとどめるのみとなった。(京都市サイトを参照)

10——都守基一「宗論と宗義論争」(『日蓮教団の成立と展開』春秋社)

11——慶長二〇年(一六一五年)五月の大坂夏の陣で徳川幕府が豊臣家を攻め滅ぼしたことにより応仁の乱から一五〇年近く続いた戦乱の世が収まったこと。同年七月、幕府は朝廷に元号を「元和」に改めさせている。偃武とは『書経』にある言葉で「武器を偃せて武器庫に収め、文を修める」こと。

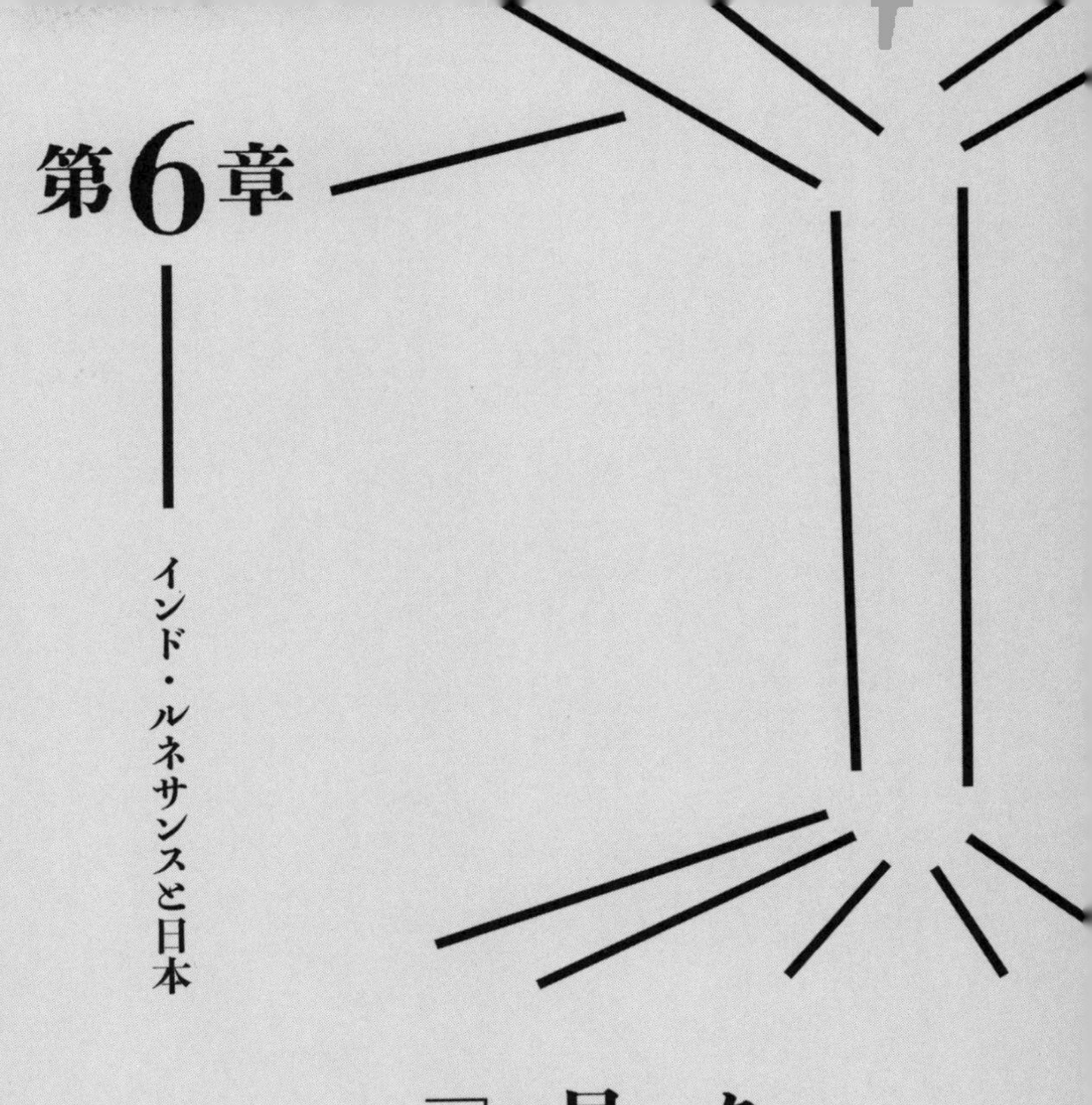

タゴールが見た「蓮」

第6章

インド・ルネサンスと日本

法華経を詠んだ歌

日本文化というと、判で押したように「禅」「神道」「侘び・寂び」「武士道」といったステレオタイプな形容がなされることが多い。しかし、日本文化の深部にはそれらより早い時期から、じつは「法華」という流れが滔々と通っていた。むしろ、そのことが見過ごされてきたのではないのか。これが私の関心事にほかならない。

本阿弥家は京都法華町衆の代表格だった。では、日本美術史上の稀代のプロデューサーである本阿弥光悦その人は、どのように法華思想を理解し受容していたのだろうか。

光悦の本業は、あくまで本阿弥家の家職としての刀剣に関するもの。

> 本阿弥家は、刀剣の研磨・浄拭・鑑定を生業とした。光悦もまた、その技術に磨きをかけ、中でも浄拭に関しては当時右に出るものはないと言われるほどであった。（根本知「光悦の書」／河野元昭編『光悦 琳派の創始者』宮帯出版社）

その家職を通して磨き上げた眼と豊かな教養によって、彼は書、陶芸、漆器などに新しい地平を切り開いた。それらは、同じ法華信仰で結ばれた同時代最高峰の絵師や職人たちとの協働のなかから生まれている。

光悦の最初期の作品に、和歌をしたためたものが多いことは以前に触れた。和歌のなかには仏教を題材とした「釈教歌」と称されるジャンルがあり、古くは『万葉集』のなかにも法華経・如来寿量品を題材とした山上憶良の歌が見られる。全二〇巻からなる『新古今和歌集』の最終巻は「釈教」。すべて仏教を題材とした歌六三首が収録され、そのうち一七首は法華経を扱ったものだ。

たとえば百人一首の「我が袖は潮干に見えぬ沖の石の人こそ知らねかわく間もなき」（『千載和歌集』七六〇番歌）を詠んだ二条院讃岐の、

うきもなほむかしのゆゑと思はずばいかにこのよをうらみはてまし

という歌が『新古今和歌集』に収められている。これは、法華経・方便品の十如是にある「如是報」を踏まえた歌として知られている。勅撰和歌集の全体では、釈教歌の総数が一一七一首。そのうち法華経を詠んだ歌が三一〇首ある。❖1

藤原家のなかでも栄華を誇った藤原道長（九六六―一〇二八）は、姉の東三条院詮子を亡くしてから、彼女の遺志を継いで法華経への信仰を篤くした。道長の日記『御堂関白記』によれば、詮子の死の翌年一〇〇二年（長保四年）から道長が逝去するまでの二六年間のほぼ毎年五月、彼は自邸で「法華三十講」を続けている。これは法華経二八品と、開経である無量義経、結経である観普賢菩薩行法経の計三〇品を、一日一品ずつ三〇日間にわたって講ずるもの。

貴族社会のなかで、とくに法華経の法門に関する和歌が多く詠まれていった背景には、こうした法華経を巡る催事が半ば公的行事として盛大に継続されていたことがある。『源氏物語』にも宮廷行事としての「法華八講」がしばしば登場する。

能に見る法華思想

法華経は平安期から室町期にかけて、ハイクラスの必須教養だった。和歌と並んで光悦が若き日から親しんでいたのが能楽。世阿弥のつくった謡には多くの仏教用語が登場する。そのなかでも法華経の二八品に由来する語彙が多いという。

その二十八品の一々の内容は、宮廷貴族の修養ある人には精神上の常食ともいふべく、その要文は尽く暗誦せられて、その一二句を出せば、何人もその前後や背景の物語を直に想ひ浮べ得たのである。即ち恰も十九世紀までの英文学に於ける聖書と同じ位置を占めてゐたので、源氏物語などには、法華経の要文が日常会話の中にも現はれてゐる。（姉崎正治『謡曲に於ける仏教要素』風々齋文庫）

法華経の法理を題材にした作品も多い。著名な宗教学者だった姉崎正治氏[2]は前掲書のなかで、能の『山姥（やまんば）』『東岸居士（とうがんこじ）』『鵺（ぬえ）』『芭蕉』『半蔀（はじとみ）』『胡蝶』『藤』には法華経の「諸法実相」の思想、『梅枝』『海士（あま）』『夕顔』『現在七面』には「女人成仏」の思想が主題となっていると指摘している。

本阿弥光悦は和歌にも能にも精通していた。当然、その背後にある経典の句や法門を相当に理解していたはずだ。現代の私たちは仏教に触れるというと寺院や宗教書籍を思い浮かべる。しかし平安期から中世、そして光悦が生きた近世の初頭まで、文化人たちは和歌や能を通して日常的に仏教経典を〝呼吸〟していたのである。

光悦と日蓮遺文

光悦の法華経理解に関して、もうひとつの鍵が、彼が書写した日蓮の遺文になるだろう。

光悦は母・妙秀の一周忌となる一六一九年七月五日に『立正安国論』を書写している。これは所属する本法寺ではなく、その向かいにある妙蓮寺の住持・日源の依頼によるものであることと、わざわざ奥書に記している。さらにこの年の一二月二七日の日付で『始聞仏乗義（しもんぶつじょうぎ）』を、同じく日源の依頼で書写している。一二月二七日は、父・光二の祥月（しょうつき）命日にあたる。

また、おそらくこの頃に、やはり日蓮の著作である『如説修行抄』『法華題目抄』『観心本尊（かんじんのほんぞん）

得意抄』を書写しており、これらは本法寺に所蔵されている。

光悦研究者である高橋伸城によれば、一六〇一年の四月から一一月にかけて、本法寺の日通は小湊誕生寺の日蓮真蹟三五通を臨写している。[3] 光悦が日蓮の法門をどの程度まで深く理解できていたかは定かではないものの、本阿弥家の菩提寺である本法寺には日通による『録内御書』[4]写本もあった。

日蓮の生まれる前年（一二二一年）、後鳥羽上皇が鎌倉幕府を打倒しようとして敗れ、隠岐に流される承久の乱が起きている。それは、朝廷が臣下によって罰せられるという前代未聞の出来事だった。国王が天皇であるとしても、国主の地位が名実ともに武家政権に移ったことを決定づけた。

さらに日蓮が本格的に布教をはじめた時期には、大地震や飢饉、疫病が打ち続いた。『立正安国論』は、こうした背景のなかで事実上の最高権力者であった北条時頼に宛てられている。日蓮は安国論で、幕府がこのまま思想の乱れ[5]を放置すれば自界叛逆難（内乱）と他国侵逼難（外国からの侵略）が起きると警告し、それらはいずれも現実のものとなった。

信長の上洛から本能寺の変。秀吉の天下統一と朝鮮出兵。アジアを征服しつつあったスペインやポルトガルの存在。秀吉の最晩年に京都伏見を襲った慶長伏見地震。[6] 秀吉政権による相次ぐ凄惨な処刑。関ヶ原から大坂夏の陣。

光悦の生きた眼前には、日蓮が直視していた危機と民の苦しみが、そのままあったといえる。どうすれば天下が静謐（せいひつ）になり、民が暮らす国土を安んじられるのか。それが法華衆としての光悦の大きな課題であったことは疑いない。

〝再発見〟された光悦

ハーバード大学を卒業したばかりのアーネスト・フランシスコ・フェノロサが、二五歳で来日したのは一八七八年（明治一一年）。いわゆる「お雇（やと）い外国人」として、その前年に創設されたばかりの官立東京大学の教壇に立った。彼を日本政府に推薦したのは、大森貝塚の発見で知られる動物学者エドワード・シルヴェスター・モースだった。

フェノロサのもとで学んだ学生には、岡倉天心（おかくらてんしん）、嘉納治五郎（かのうじごろう）、坪内逍遥（つぼうちしょうよう）らの名が見える。フェノロサは政治学・哲学が専門だったが、来日してすっかり日本の美術に魅せられた。文部省の調査員として、岡倉天心を通訳に連れ、京都や奈良の古刹や古美術商を繰り返し訪問している。この折、秘仏とされていた法隆寺夢殿（ゆめどの）の百済観音を開扉させた。

当時、明治初年からの廃仏毀釈運動で、多くの寺院が破壊され、あるいは困窮して寺宝を売り払っていた。しかし、フェノロサは調査をしていくなかで、その日本に古代ギリシャやローマにさえ迫ると感じる〝美〟を見出していく。そしてフェノロサは、大多数の日本人が長く忘れていた才能を発見した。それが本阿弥光悦だった。

一八九〇年に米国に帰国すると、ボストン美術館の東洋部長に就任。没後の一九一二年にロンドンで出版されたフェノロサの遺稿『東洋美術史綱』には、

> この派の創始者として、また徳川時代の最大の芸術家として（事実、彼は世界でも最大の芸術家の一人である）、光悦の名誉を回復しておくことは、私がこの著述を試みるにあたって、かねてから念願してきたことである。（『東洋美術史綱』森東吾訳／東京美術）

と、光悦への最大級の賛辞が綴られている。フェノロサが帰国した五年後の一八九五年四月、ひとりの米国人実業家が日本を訪れた。チャールズ・ラング・フリーア。

> フリーアの日本滞在は、光悦およびその系統の審美的重要性に目覚めさせた。（ルイーズ・Ａ・コート「フリーアと光悦」／河野元昭編『光悦―琳派の創始者』宮帯出版社）

フリーアが熱心に蒐集した美術品は今、ワシントンＤＣのスミソニアン協会に属するフリーア美術館にある。そこにある約八〇〇点もの日本陶器のうち、四二点が「光悦作」とされるものだという。最初の作品は赤樂（あからく）茶碗。一八九六年一二月に山中商会から購入した。

一九〇一年にはじめてフェノロサに会ったとき、すでにフリーアは「光悦作品」を二〇数点も購入していた。フェノロサとの出会いが、フリーアの光悦蒐集にさらなる力を与えたことは言うまでもない。フェノロサもフリーアとの知遇によって、光悦作品の偉大さをあらためて実感した。なお、当時「光悦作品」として売買されたなかには、後年の研究や検証で贋作と判明したものも少なからずあった。

一九世紀の末まで日本人がすっかり忘却していた本阿弥光悦。それが米国人によって見出され、絶大な評価を与えられた。二〇世紀に入ると、日本のなかでも光悦への尊崇がにわかに高まっていく。フェノロサの尽力によってボストン美術館東洋部長の職に迎えられていた岡倉天心は、一九〇六年五月、ニューヨークのFox Duffield社から英語書籍『The Book of Tea』（茶の本）を刊行した。その第七章「茶の宗匠」で、

> 絵画の大流派で、その源を、茶人であると同時に、漆工としても陶工としても有名な本阿弥光悦に発しているものがある。彼の作品に比べれば、孫の光甫や甥の子光琳及び乾山の見事な作品も、全く光を失う。いわゆる全光琳派は茶道の表現である。この派の描く太い線の中に、我々は自然そのものの生気を見出すような気がする。（『茶の本』櫻庭信之訳／ちくま学芸文庫）

ことを語った。

と綴っている。さらに一九一〇年の東京帝国大学（一八九七年に改称）での講義でも、同趣旨の

> 光悦は画家にしてかつ装飾家なり。院体の瑰麗なる中に新しき筆致を示せり。光琳は光悦を凌駕するものにあらず。乾山は光琳より偉大なるもののごとし。（『泰東巧藝史』／岡倉天心『日本美術史』平凡社ライブラリー所収）

かくして大正から昭和にかけて、光悦の名は日本の人口に膾炙し、ダ・ヴィンチにさえ匹敵する〝万能の天才〟として神話化されていった。茶道具が「美術作品」と見なされるようになっていったのもこの時期だ。

『茶の本』の和訳が村岡博によって日本で出版されるのは、世界恐慌が起きた一九二九年。日本はナショナリズムに覆われつつあった。こうしたなかでの光悦人気は、正確さに欠ける伝承や「作品」を拡大していく。どこまでが裏づけのある史実で、どこからが想像もしくは願望なのか判然としない。

戦後、厳密な資料にもとづこうとする光悦研究がはじまった。一九六四年に歴史学者・林屋辰三郎氏の監修で刊行された『光悦』（第一法規出版）は、そのひとつの成果だった。しかし、光

悦に関しては今もなお、史実と伝承が妖しく入り混じっている。

ベンガル・ルネサンス

メトロポリタン美術館で、あの光琳の屏風に出あった翌年——。一九九〇年の八月、私は酷暑のコルカタ（当時はカルカッタ）にいた。その半世紀前の同じ八月に、ラビンドラナート・タゴール（一八六一—一九四一）はコルカタで没している。

このとき、私はＩＣＣＲ（インド文化関係評議会）の招聘による文化訪問団の一員として、酷暑のインドを一六日間巡っている最中だった。

デリーからパトナ。世界最古の大学と言われるナーランダー遺跡を視察して、仏典に「王舎城」として登場するラージギルへ。そこで今も残る霊鷲山[7]に登った。ブッダガヤに泊まって大菩提寺を見学し、鉄路で一昼夜かけてコルカタに着いた。

当時のインドは政情不安が続き、各地でテロや暴動が頻発していた。ラジーヴ・ガンディー首相が爆弾テロに倒れたのは、このわずか九カ月後。暴動に阻まれ、私たちのバスや列車も何度か立ち往生を余儀なくされた。連日、気温は軽く四〇度を超えていた。どれほどミネラルウォーターを飲んでも、すぐに身体から蒸発してしまう。

なにより、当時のインドはまだ貧しかった。驚かされたのは、最初に首都デリーに到着した際、真夜中のインディラ・ガンディー国際空港のロビーに牛がいたことだ。すでに日付が変わっているというのに、むせ返るような熱気と喧騒。客引きの運転手たちのギラギラした目。まとわりつく蝿（はえ）の大群。

パトナでもガヤでもコルカタでも、私たち日本人の一団がホテルやバスから一歩外に出ると、たちまち物乞いする老人や子どもたちにかこまれた。ただ、どういうわけか毎回、私にだけは誰も寄って来ない。同行していたインド側のスタッフたちから、たぶんあなたはインド人だと思われているのだろうと言われた。

英国領インド帝国だった時代、コルカタは総督が起居する首都だった。バスの車窓からは、白大理石で築かれたヴィクトリア記念堂が見えた。英国ネオ・ゴシック様式とムガル朝のイスラム建築を折衷（せっちゅう）した、「インド・サラセン様式」の代表的建築。一九〇五年から一六年もの歳月をかけて完成した。

前日まで遺跡の町を巡っていたからだろうか。コルカタは光と色彩に溢れていた。路上の市に並べられた果実や布地までもが華やいで見えた。

一九世紀の終わりから二〇世紀のはじめにかけて、この街は〝ベンガル・ルネサンス〟と呼ばれる文芸復興の拠点となっている。その最大の精華こそ詩聖タゴールだった。ベンガルで呼び覚まされたインドの誇りは、ほどなく反英運動の起爆剤となる。支配者である英国は一九一一年に首都をデリーに移さざるを得なくなった。

蓮の花の咲いた日に、ああ、わたしの心は彷徨(さまよ)っていた、なのに、わたしはそれに気づかなかった。わたしの花籠(はなかご)は、空っぽだった、なのに、花には目もくれなかった。

（中略）

そのとき　わたしは知らなかった――花がそんなにも身近にあり、それがわたし自身のものであったことを、そして、このような全(まった)き美が　わたし自身の胸の奥深くに花咲いていたことを。（『ギタンジャリ』森本達雄 訳註／レグルス文庫）

これは、タゴールの一〇三篇の掌篇(しょうへん)詩からなる『ギタンジャリ』の第二〇番の詩。彼の祖父はインド・ベンガル州の豪商。父のデベンドロナトは、ブラフマ・サマージと呼ばれる信仰共同体の指導者も務めた宗教者だった。タゴール自身も早くからウパニシャッド哲学に通じていた。祖父の残した負債の清算に苦労したとはいえ、タゴール家はバラモン階級であり、領地と領民を持っていた。

「Life of my life,」

タゴールは一三歳で母親を亡くしている。四〇歳になった一九〇一年の冬。タゴールは私財を売り払い、長年構想してきた小さな学園を、コルカタの北方シャンティニケタンの地に開校した。インドの蘇生には、まず新しい人材が必要だと考えたのだ。

しかし一周年を待たない翌年の晩秋、開学に奔走してくれた妻のムリナリニ・デビを喪う。〇三年には次女レヌカが一二歳で病死。さらに〇四年には学園の未来を託す存在だった教師ショティシュチョンドロ・ライが天然痘で急逝した。〇五年には敬愛する父を、〇七年には次男ショミンドロナトをコレラで亡くした。愛しい末っ子でもあったショミンドロナトは、享年まだ一一歳だった。

これでもかというほど打ち続く試練。ショミンドロナトが逝去した翌日、タゴールは悲痛を振り払うようにシャンティニケタンに向かう夜行列車のなかにいた。このときの心情を、後年タゴールはシャンティニケタンから三女ミラ・デビへ送った手紙に記している。

> ショミが亡くなった次の夜、汽車に揺られながらここに来る途中、私は、月の光が空いっぱいに皓々と余すところなくみなぎっているのを見ました。私の心は叫んでいました——何も欠けてはいない、と。一切のものが、この世のすべてのなかに存在しています。

私もそのなかに存在しているのです。（一九三二年八月二八日『タゴール著作集』第一一巻／第三文明社）

この手紙は、ミラ・デビが息子――タゴールにとっては初孫――を、わずか二〇歳で亡くした直後、彼女に宛てられたものだ。

万物が宇宙の全体性を織りなしている。死んだ者たちも、生きている自分も、何も欠けてはいない。それらは完全な〝美〟と呼ぶべきもの。ひとつの生命の全体なのだ。その大いなる生命の律動が、一塵（いちじん）の微細に至るまで万物のなかには脈打っている。この小さな自分自身のなかに、無限の世界がひろがっている。

タゴールが目覚めた、この大いなる生命と自身との一体感。それはのちに綴られた『ギタンジャリ』第一詩の冒頭から高らかに歌われている。

おんみは　わたしを限りないものになしたもうた――それが　おんみの喜びなのです。
この脆（もろ）い器を　おんみはいくたびも空にしては、つねに　新しい生命でみたしてくれます。
この小さな葦笛（あしぶえ）を　おんみは　丘を越え　谷を越えて持ちはこび、その笛で　永遠に新しいメロディーを吹きならしました。
おんみの御手の不死の感触に、わたしの小さなこころは　歓びのあまり度を失い、言葉

では尽くせぬことばを語ります。（以下『ギタンジャリ』の引用は前掲レグルス文庫版）

タゴールが『ギタンジャリ』のなかで「おんみ」「神」「主」「あなた」と呼ぶものは、一神教的な創造主のような〝外なる神〟ではない。たとえば第四の詩の冒頭は、

わが生命の主なる生命よ、

ではじまるが、英詩では「Life of my life,」と表現されている。「わが生命」に包摂される「大いなる生命」。そして「わが生命」を包み返す「大いなる生命」への讃歌。その生命感覚、境地については、同じ『ギタンジャリ』の第六九、第七〇の詩に凝縮されているだろう。

昼となく夜となく　わたしの血管をながれる同じ生命の流れが、世界をつらぬいてながれ、律動的に鼓動をうちながら　躍動している。
その同じ生命が　大地の塵のなかをかけめぐり、無数の草の葉のなかに歓びとなって萌え出で、木の葉や花々のざわめく波となってくだける。
その同じ生命が　生と死の海の揺籠のなかで、潮の満ち干につれて　ゆられている。
この生命の世界に触れると　わたしの手足は輝きわたるかに思われる。そして、いまこ

の刹那にも、幾世代の生命の鼓動が　わたし血ののなかに脈打っているという思いから、
わたしの誇りは湧きおこる。

この律動の歓びにあずかることは　おまえにはおよびもつかないことだろうか——この途方もない歓喜の渦のなかに　ほうりだされ　のみこまれ　こなごなに砕かれることは？

万物は突進し、とどまるところを知らず、ふりかえらない。どんな力も　それを食い止めることはできない——万物は突進する。

この小止みない急速な音楽に足どりを合わせて、季節が　踊りながらやって来ては　去ってゆく——色も　調べも　香りも　あふれんばかりの歓喜のうちに　永久に涸れることなき滝となって流出し、一瞬ごとに　飛び散り、諦めては　消えてゆく。


タゴール自身を「限りないものになしたもうた」のは、この大いなる生命と一体化した大いなる自己の自覚だった。それは、生と死の揺籠のなかで、萌え出てはざわめく波となってくだけるもの。歓喜のうちに踊りながら涌き出て、世界の万物を貫くもの。幾世代を超え、今この瞬間も律動しながら、「不死」すなわち永遠に創造を続けるもの。

あの第二〇詩で、タゴールはこの〝全き美〟と呼ぶべき全一なるものを〝蓮の花〟と描写した。自分自身の胸の奥深くに、本来この〝蓮の花〟が咲いている。そのことに、ずっと気づか

ずにいた。彼は打ち続く悲哀と対峙するなかで、ついにそれをありありと見た。

一九〇〇年代の最初の一〇年。試練につぐ試練だった四〇代の日々。その最終盤に自己の内面世界を一変させたタゴールは、生き生きと、猛然と、ペンを執りはじめた。長編小説『ゴーラ』の執筆にかかり、次々と戯曲を発表する。ベンガル語の『ギタンジャリ』が綴られたのもこの時期だった。

五〇代に入った詩人は、一九一二年六月、三度目の渡英を果たす。このとき、かねて交流のあった画家ローセンスタインに請われて、自ら折々に英訳していた『ギタンジャリ』の原稿を見せた。一読してローセンスタインは、まったく新しい詩の登場に心を震わせた。著名な文芸批評家でありオックスフォード大学教授だったアンドルー・ブラッドリに詩稿を見せて、自分の衝撃が間違っていないことを確かめた。それから詩人ウィリアム・イェイツに手紙を書いて、詩稿を送った。

タゴールの最初の英訳詩集『ギタンジャリ』は、この年の一一月にロンドンのインド協会から七五〇部限定で刊行された。そこに躍動する東洋の生命観は、たちまち文学界や出版界を驚嘆させる。翌年三月にはマクミラン社から普及版が刊行。それもあっという間に慌ただしく版を重ねに重ねた。

一九一三年のノーベル文学賞は、この『ギタンジャリ』を綴ったアジアの詩人に授与された。

『ギタンジャリ』はすぐさま各国語に翻訳されていった。

岡倉天心との接点

ところで、この『ギタンジャリ』へと結実されたタゴールの内面の変容。もはや〝開悟〟と呼んでもいい生命観の確立。それを可能にしたもの、その背景にあるものは何だったのだろうか。

タゴールは「蓮の花」を歌った第二〇番の詩で、自分は「花がそんなにも身近にあり、それがわたし自身のものであったこと」を「知らなかった」と綴っている。

岡倉天心が英語で出版した『東洋の理想』（原題：The Ideals of the East with Special Reference to the Art of Japan）は、じつはインドで書き上げられていた。

文部官僚として恩師アーネスト・フェノロサの日本美術調査に同行した岡倉天心。一八八九年に帝国博物館が設立されると美術部長に就任する。翌年には二七歳で、今日の東京藝術大学の前身のひとつ東京美術学校の校長に就任した。

しかし一八九八年、学内の対抗勢力から誹謗文書などが撒(ま)かれ、天心は東京美術学校長を辞する。天心を師と仰ぐ横山大観(よこやまたいかん)、菱田春草(ひしだしゅんそう)、下村観山(しもむらかんざん)らもこれに続き、新たに日本美術院を結成した。しかし、この日本美術院もほどなく財政難に直面する。天心は煩い(わずらい)の多い日本を出奔(しゅっぽん)するかのように、一九〇一年末から翌年一〇月までのあいだ、インドを訪問している。

天心は一九〇二年一月六日に、航路で当時の首都カルカッタ(現コルカタ)に入った。一月のうちには、ブッダガヤやアジャンター石窟群、エローラ石窟群などの仏教史跡を視察する旅に出ている。ふたたびカルカッタに戻るのは三月に入ってから。天心とタゴールが具体的にいつ最初に対面したのかは、長らく不明だった。

近年の研究で、双方の記録を突き合わせ、四月九日にタゴールが天心をシャンティニケタンの創立まもない学園に二泊三日で招待したことが割り出された。❖8

たしかに、四月一六日の日付でタゴールが友人のオボラ・ボシュにあてた書簡には、

一人の日本人と仲よくなりました。(『タゴール著作集』第一一巻/第三文明社)

と記されている。のちに、タゴールは最後の訪日(一九二九年)の際、日印協会で講演し、天心との出会いを振り返っている。

わたしは日本の国からきた一人の偉大な独創的な人物に接したときに、真の日本に出会いました。この人は長い間わたしどもの客となり、そのころのベンガルの若い世代に測り

知れない霊感を与えました。（『タゴール著作集』第八巻／第三文明社）

ちなみに、天心は一九〇五年にボストン美術館の中国日本部門顧問に迎えられて、のちに東洋部長に就任している。日本と往復しながら、彼のボストン滞在は延べ三七カ月におよんだ。[9] タゴールは一九一三年の初頭にボストン美術館で天心と再会を果たしている。このとき天心は病を得ていた。まもなく天心は日本に帰国し、タゴールのノーベル文学賞受賞を見届けないまま、その年の九月二日に没している。

岡倉天心は、最初にタゴールと出会った一九〇二年の九カ月余のインド滞在中に、釈尊の成道の地であるブッダガヤを三度も訪れた。[10] タゴールと初会見したすぐあと四月一九日にも、二度目のブッダガヤ訪問に出発している。案内役として同行したのはタゴールの甥、シュレンドロナト・タゴールだった。天心はインド各地の貴重な仏教史跡が荒廃していることを悲痛なまなざしで見た。

一方、タゴールの著述に仏教的要素が登場するのは、彼がシャンティニケタンに学園を創立する少し前、一八九七年頃から。創立の前年一九〇〇年に発表された物語詩集『Katha』では、二四編のうち八編が仏典を素材としている。[11] その二年後に、タゴールは岡倉天心と出会った。

釈尊の思想とタゴール

タゴールの四〇代は、シャンティニケタンに学園を創立したあと、愛する者たちを次々に喪う苦悶の歳月だった。同時にその一〇年間は、タゴールがインドの生んだ仏教思想に分け入っていく日々でもあった。それは詩聖の精神を鍛え上げ、覚醒させ、『ギタンジャリ』の高みへと導いていく。

このことは、インド側からも言及されている。コルカタのタゴールの生家の敷地に生誕一〇〇年を記念して創立されたラビンドラ・バラティ大学。インド政治学学会永久会員であり、同大学の副総長をつとめたバラティ・ムカジーは述べている。

ウパニシャッド哲学に通暁していたタゴールの精神は、若くして仏陀の教えを受け入れる準備ができていました。

タゴールが抱く仏陀の思想に対する尊崇の念は、詩やエッセーなどの創作物、また彼が各国で行ったさまざまな講演にも表明されています。

後に、このインドの至高のメッセージを携えて、タゴールは世界を行脚して回りました。

タゴールの使命は、私たちの誰もが「一つの究極の実在」のあらわれであることを人々に理解させ、民族性や人種に対する考え方を進化させることにありました。(『新たな地球文明の詩を』第三文明社)

後半生のタゴールは、インドに生まれた仏教思想の水脈を、今日の人類を照らす普遍的なものに汲み上げようとしていた。ムカジーは、それらを示す作品として『贖罪』『自由の流れ』『犠牲』『踊り子の礼拝』など具体的な戯曲の名も挙げている。

タゴールが再発見した仏教思想。それにしても、釈尊ひとりの人間の胸中に芽生えたものが、何千キロもの彼方までひろがり、二五〇〇年ものあいだ多様な文化をはぐくみながら命脈を保っている。なぜ、そんなことができたのだろうか。その片鱗だけでも自分で実感したい。

二〇一四年。バンコクのスワンナプーム国際空港を飛び立って四時間。私は二四年ぶりにデリーのインディラ・ガンディー国際空港に降り立った。

四半世紀を経て訪れた空港は、新しい国際線ターミナルができたばかりで、もはや隔世の感があった。ターミナルビル内に牛もいなければ強引な客引きもいない。乾季が終わった四月とあって暑さを覚悟し、わざわざバンコクで二日ほど身体を慣らしてきたのに、デリーのほうが快適な気候だった。

註

1——西田禎元『日本文学と『法華経』』論創社

2——姉崎正治（一八七三—一九四九）は京都府生まれ。東京帝国大学文科大学哲学科を卒業後、イギリス、ドイツ、インドに留学。東大に宗教学の講座が開設されると主任教授となり、一九三〇年に日本宗教学会を設立して終生その会長を務めた。ハーバード大学、シカゴ大学、エール大学、コレージュ・ド・フランスなどでも講義。東京大学名誉教授。文芸評論の面でも活躍し、嘲風と号した。

3——高橋伸城「本阿弥光悦筆《立正安国論》《始聞仏乗義》について」二〇一二年

4——中世にはすでに通説として、日蓮一周忌に本弟子六人が「御書」＝日蓮遺文を持ち寄り、一四八通に及ぶ御書目録を作成し、ここに収録されているものを「録内御書」と称するようになったとされていた。池田令道氏は多数の真蹟がここから漏れていることなどを挙げて通説に疑義を呈し、日什（一三一四—九二）とその門弟によって編纂された可能性を指摘している。（「日蓮遺文の編纂と刊行」／『シリーズ日蓮2　日蓮の思想とその展開』春秋社）

5——日蓮は『立正安国論』のなかで、国土の安穏を実現しようと思うのであれば専修念仏を禁止し、日本を棄て去った国土守護の善神を呼び戻すことが不可欠だとした。念仏が悪法である理由として、阿弥陀仏と浄土三部経以外のすべての諸仏諸経の価値を一律に否定するその排他性を挙げた。諸仏諸経を総体として肯定する〈融和主義〉の立場から念仏の排他主義を攻撃する論法は、法然の教えが爆発的な流行を見せる一三世紀初頭から天台宗を中心とする伝統仏教側から繰り返されている。日蓮は大筋として伝統仏教の〈融和主義〉と同じ立場から、今や排他的な専修念仏が巧妙に融和主義を装って体

制化していることの危険性を糾弾した。（参照：佐藤弘夫『日蓮』ミネルヴァ書房）

6――一五九六年九月五日（文禄五年閏七月一三日）に近畿地方を襲った大地震。伏見城や天竜寺などが倒壊。死者は一〇〇〇人を超えた。この四日前には今の愛媛で慶長伊予地震が発生し、前日には別府湾付近を震源とする慶長豊後地震が起きている。

7――霊鷲山は現在のインド・ビハール州ラージギルにある山。ラージギルは古代マガダ国の首都ラージャグリハ（王舎城）。釈尊教団は王舎城に竹林精舎を置き、霊鷲山は説法の場所のひとつだった。

8――『南アジア研究』第二五号

9――岡倉天心『茶の本　日本の目覚め　東洋の理想』（ちくま学芸文庫）に付された佐藤正英による解説

10――外川昌彦「英領インドにおける岡倉天心のブッダガヤ訪問について―スワーミー・ヴィヴェーカーナンダとラビンドラナート・タゴールとの交流から」（『アジア・アフリカ言語文化研究』二〇一六年）

11――田中孝海「タゴール作『ギーターンジャリ』について―その四―」（『印度學佛教學研究』三五巻一号）

第7章

目覚めた人

思慮ある人は、
奮い立ち、
努めはげめ

地下水脈の源流

二〇一四年四月。二四年ぶりに訪れたインドは、すでにIT大国となり、中間層が大きく台頭しつつあった。かつて外国人旅行者の姿しか見なかったいわゆる観光名所は、どこも圧倒的にインド国内からの旅行者で溢れていた。

渋滞するデリーの街中には、インドの人口をリアルタイムで表示する電光掲示板が立っている。このときすでに一二億五〇〇〇万人を超え、見ているうちにも数字が更新されていく。最新のデータを発表しているウェブサイト[1]で確認したら、二〇二二年一月時点で一四億人を突破していた。この八年弱で日本の総人口を上回る数が加算されたことになる。二〇二〇年代のうちに、インドの人口は中国を抜いて世界一になると予測されている。

一九世紀にヨーロッパにあった世界のパワーの中心は、二〇世紀に大西洋を渡ってアメリカに移った。二一世紀に入った今、それは太平洋を越えてアジアに移ろうとしている。このことはなにより、日本も含めてアジアの人々自身に〝自分たちは何者なのか〟という問いをつきつけてくる。世界もまた、より深く、より多面的にアジアを知ろうとするだろう。

たとえば日本を訪れる中国の人々の多くは、もの珍しい異国を覗いているようで、じつはそこに自分たちの遠い記憶、冷凍保存されたかのような中国文化の古層を感じとっている。いつだったか京都で、装丁家の矢萩多聞（やはぎたもん）さんにこの話をしたら「インドも同じです」と言われた。多聞さんは中学生の頃からインドで暮らし、今も京都とインドに自宅を持っている。
インドの人たちが京都の三十三間堂に行くと、そこに《二十八部衆像》などインドの神々が並んでいることに驚くらしい。しかも、もうインドではあまり知られなくなったような古い神々さえいることに感嘆するという。考えてみれば、奈良・興福寺の国宝《十二神将立像》もすべてインドや中央アジアの神々なのだ。

多聞さんは（多聞さんの名前そのものがインドの神話由来なのだけど）、「インド人は日本人と似ているところがあって、外国からの評価によって自分たちの価値を認識する傾向があるように思う」と教えてくれた。

岡倉天心の最初の著作『東洋の理想』は、一九〇二年のインド滞在中に書かれ、一九〇三年にロンドンで出版された。天心はこのなかで日本を「アジアの思想と文化を託す真の貯蔵庫」「アジア文明の博物館」と評している。かつて興っては消えたアジアの思想と文化が、東端の島国には保存されているのだ、と。

それから一世紀。世界の中心軸がアジアに移ってくる時代には、とりもなおさず、日本とアジアの地中深くに流れるものへの関心と理解が不可欠になる。

タゴールが再発見した釈尊の思想。「蓮の花」「全き美」と譬えたもの。アジアの東端の島国に生を受けた者として、自分の根の地下深くに流れているものの源流と、あらためて向き合うときが来ていた。

インディラ・ガンディー国際空港での入国審査を終え、頼んでおいた迎えの車に乗り、ホテルに向かう。ダッシュボードには、ガネーシャが鎮座している。車窓からは真新しいメトロの高架橋やショッピングモールが見える。すっかり様変わりしたデリーの景色を眺めながら、私の胸には静かに高鳴るものがあった。

中道主義

ゴータマ・シッダールタは、シャカ族の小国に王子として生まれた。場所はネパールのルンビニもしくはネパールとインドの国境付近とされている。生存年代は諸説があって定まらない。おそらく紀元前四~五世紀頃だと思われる。

釈尊、すなわち釈迦牟尼世尊の釈迦牟尼とは、「シャーキャー族の聖者(ムニ)」の音写。世尊はサンスクリットのバガヴァットの訳で、世のあらゆる人から尊敬される者を指す。シッダールタは妃とのあいだにラーフラという名の息子を授かったのち、王子の位を捨て求道の旅に出た。

誰もが免れることのできない「生老病死」という苦を、どう解決するのか。この人間の〝現実の苦〟と正面から向き合うところに、仏教の出発点があった。

仏教は本来、葬儀や、まして先祖供養のための宗教などではまったくない。❖2

シッダールタはガンジスを渡り、大国マガダに入った。現在のビハール州の一帯にあたる。マガダは生涯にわたって彼の重要な活動拠点となっている。国王のビンビサーラが同じ王族としてシッダールタに敬慕と庇護(ひご)を示したこと。ガンジスの中流域にあって、各地に赴くうえで都合がよく、物流と情報の行き交う大国であったこと。多くの思想家たちが集まっていたことなどが、その理由として考えられる。

ガンジスは〝聖なる河〟であると同時に、物流の大動脈だった。釈尊在世の流域の国々では、すでに貨幣経済が定着していた(P・L・グプタ『インド貨幣史』刀水書房)。

インド北西方から侵入したアーリア人は、当初、現在のデリーなどがあるガンジスの上流域から支配をひろげ、バラモン階級を頂点とするカーストを敷いていた。

だが次第に、ヴェーダの世界観の外側であったガンジス中流域にも定住地がひろがり、多様な先住部族との混淆(こんこう)が進展していく。人口が拡大し、生産と物流が盛んとなって市が生まれ、貨幣経済が発達する。それは成功した商業従事者たちの社会的影響力を強めていった。

釈尊教団がガンジス流域を拠点に発展した背景にあるのは、政治的安定や移動の利便性だけではない。そこに新たな都市住民がいたこと。布施によって能動的に教団の発展に参画する有力な在家たちが存在したことがある。

有名な祇園精舎は、コーサラ国の豪商スダッタが莫大な金銭をもってジェータ王子が所有する土地を買い取り、園林と精舎を整備して釈尊のコーサラでの拠点として供養した施設だった。商業従事者が、王族の土地を購入できるまでの財力と、それを自ら信仰する新しい宗教運動に喜捨できるだけの精神的自由を持っていたことを象徴するものだ。

社会的位相がまったく異なるので同列に論じるわけにはいかないが、このあたりの構図は、京都法華町衆の姿ともどこか重なって見える。

シッダールタは、当時の修行者たちがそうしたように、さまざまな思想と苦行[3]を遍歴した。苦行は、ときに死の一歩手前まで衰弱するほど過酷なものだった。だが数年を経て、彼は極端な苦行主義を離れる。一緒に苦行に励んでいた五人の仲間たちは、シッダールタが堕落したと失望して彼のもとを去った。

シッダールタは「中道」を歩んだ。「中道」とは、AとBの中間という意味ではない。

最古層経典のひとつとされるスッタニパータは、こう記している。

極端なまで頑なに厭悪［して苦行］することもなければ、つねにあくことなく貪欲［であって世間的存在でありつづける］こともなく、衝動的な欲望に動かされるということもなく、あらゆるところのあらゆる対象についてつねに同一にして平等であり静寂をきわめ

ている。（荒牧典俊訳『スッタニパータ』講談社学術文庫）

生物学者の福岡伸一さんが「動的平衡」と言いあらわしたように、生命とは一瞬もとどまらない〝流れ〟そのものだ。その流れゆくものに抗って何かを所有し続けようとする執着が貪欲なら、それを極端に忌避する苦行もまた、「世間的存在でありつづける」自分への妄執、その自意識のなせる業なのではないか。

どちらも、執着から生じた不安に囚われていることに変わりない。

「一本の矢」

ガンジスの支流ナイランジャナー川のほとり。ブッダガヤの郊外に高さ五五メートル、レンガ造り方錐型の大塔が建っている。ユネスコの世界遺産に登録されている大菩提寺。釈尊は、この付近にあった菩提樹の下でブッダとしての境地を開いたと伝えられている。

釈尊滅後およそ二〇〇年の紀元前三世紀。釈尊が成道したこの場所は、マウリヤ朝第三代の王アショーカによって聖跡として整備された。七世紀にここを訪れた玄奘三蔵の『大唐西域記』には、大塔があったと記述されている。

仏陀という漢字はサンスクリットの「buddha」の音写で「目覚めた人」という意味になる。人間を超えた存在ではなく、あくまでも「人」。

わたくしはその（生けるものどもの）心の中に見がたき煩悩の矢が潜んでいるのを見た。この（煩悩の）矢に貫かれた者は、あらゆる方向をかけめぐる。この矢を引き抜いたならば、（あちこちを）駈けめぐることもなく、沈むこともない。（中村元訳『ブッダのことば　スッタニパータ』岩波文庫）

釈尊が見た「一本の矢」。
それは、自他の差異にこだわり、世間的存在としての優劣に常に囚われる心だ。硬直したままのまなざしは、他者や世界をフラットに、ありのままに見ることができない。その視線が今度は自分自身を射抜いて、驕りと不安と怒りで焼き尽くしていく。釈尊は、そのような「差異へのこだわり」から目覚めた。囚われていた自己ではなく、真の自己に目覚めた。

では、一瞬もとどまらず変転し移ろいゆく世界と人生を、私たちはどう生きることができるのか。
たとえばサッカースタジアムに響く大歓声のなか、フィールドを駆けるプレーヤー。ゲームの展開は予測などできない。彼のなすべきことは、終始、勇敢に奮い立ち、挑み続けること。冷いこと。

静沈着に、昂ぶりを捨て、どんなに追いつめられた局面でも自己自身を支配する力を手放さな

私たちがあのような競技に熱狂し、心を打たれるのはなぜだろう。

それは、すぐれた自己統御の力がしばしば運命を押し返し、仲間を鼓舞し、世界を変えゆくことを、数十分のドラマのうちに証明してくれるからかもしれない。しかも、自己統御の力は、内側に閉じたものではない。

自身を制覇する者だけが運命を制覇していける。自分が変われば、世界との関係性が変わり、世界の持つ意味が変わっていく。

パーリ語で書かれた初期仏典『ダンマパダ』の一節には、こうある。

> 思慮ある人は、奮い立ち、努めはげみ、自制・克己によって、激流もおし流すことのできない島をつくれ。
>
> 御者が馬をよく馴らしたように、おのが感管を静め、高ぶりをすて、汚れのなくなった人――このような境地にある人を神々でさえも羨む。（中村元訳『ブッダの真理のことば　感興のことば』岩波文庫）

激流にも押し流されない「島」とは、海に浮かぶ島ではなく、ガンジスの中洲のこと。タゴールは『ギタンジャリ』の第一詩で、自身のことを「小さな葦笛（あしぶえ）」と呼んだ。私たちは誰しもが世界という激流、運命という激流のなかに立つ、一本の細い葦だ。

だからこそ、奮い立ち努めはげむ自己規律の力がいる。すぐれた御者がよく馬を馴らすような自己統御の力がいる。これらによって、雨季の増水したガンジスにも流されないような「島」へと、自分自身をつくり上げていくほかない。

絶望することなく、世界に押し流されず、運命に押し流されず。むしろ自分という人間の今ここを起点に、世界と運命の意味を変えていく。

あらゆる人間には本来それが可能なのだということに、シッダールタは目覚めた。そしてブッダとなった彼は熟慮と葛藤の末に、自分と同じように目覚めよと、対話の旅をはじめた。

暴虐のアショーカ

これまでの人生で見た忘れがたい景色を尋ねられたら、私はまずヴァラナシで見たガンジスの夜明けを挙げるだろう。今ここに世界が新しくはじまる。まさしく、そんな厳かで生命力に溢れた日の出だった。

ガンジス中流の街ヴァラナシは、多くのヒンドゥー教徒にとって聖なる土地だ。ここでガンジスに沐浴し、ここで人生の最期を迎えて荼毘に付され、遺灰をガンジスに流してもらう。そうすることで生死流転の輪廻を断ち、二度と生まれてこない「不死」の世界に至れる――。信仰深いヒンドゥー教徒のなかには、そのように考えている人が今もまだ少なくないそうだ。

すでに紀元前五世紀頃の釈尊の時代も、ヴァラナシはさまざまな思想家や宗教者が集まる一大拠点だった。ブッダガヤの菩提樹下で目覚めた釈尊が最初にしたことは、二〇〇キロ余り西方にあるヴァラナシに行くことだった。

是の事を思惟し已って即ち波羅奈に趣く（『法華経』方便品）

苦行を捨てた釈尊のもとを離れた、かつての修行仲間。ヴァラナシ郊外のサルナートには、あの五人がいた。釈尊はこの五人を最初に教化する。こうして「釈尊教団」が誕生した。

仏教では古い時代から〝法を説く〟ことを「法輪を転じる」（法の車輪を回転させていく）と表現してきた。そこには、生涯歩き続け、自在に人々のなかへ分け入っていった釈尊のイメージが強烈に刻まれている。

紀元前三世紀、サルナートはアショーカ王によって、釈尊が最初に法を説いた「初転法輪」の地として宣揚される。「生誕の地」ルンビニ、「成道の地」ブッダガヤ、「涅槃（逝去）の地」クシナガルと併せて、現在もインドにおける仏教の四大聖地になっている。サルナートこそは、その後二五〇〇年続く仏教の〝言論戦〟の起点となった。

デリーから国内線で一時間弱。ヴァラナシ郊外の空港に着いて、そのままサルナートの遺跡に直行する。車窓から見える街はずれの道路脇にあるレンガ積みの建物は、まだ建設途中か、あるいは取り壊し中にしか見えない。けれどもどうやらどちらでもなく、そこで人々が暮らしを営んでいるのだった。

豊かになったとはいえ、デリーなど大都会を離れると、何百年も前、ヘタをすると紀元前の釈尊の時代からさほど変わっていないのではないかというような光景を、旅の随所で目にした。往時の暮らしのなかに電気が通り、スマートフォンが普及し、車やバイクがあるという奇妙な感じである。

サルナートの遺跡には、この「初転法輪」を宣揚するダーメーク・ストゥーパが残っている。大菩提寺の大塔のような洗練された建造物ではなく、もっと初期の土饅頭（つちまんじゅう）を重ねたような素朴な煉瓦（れんが）積みの塔。基壇の一部は、アショーカ王が建立した当時のものと考えられている。

サルナート訪問で私が一番の目的にしていたこと。それは遺跡に隣接するサルナート博物館に収蔵されている有名な「アショーカ王の獅子柱頭」を、自分の目で見ることだった。

四頭のライオンの像が刻まれた石塊。もともとは高さ一四メートルの石柱の頂部に据えられていたものだ。四方に向けられた獅子は、万民の安寧（あんねい）を見守り、世界に向かって恐れなく言葉を放っていくことの象徴だろうか。

獅子の下には法輪が刻まれている。あのアフガニスタンのティリヤ・テペ遺跡で発掘された「インド・メダイヨン」に刻印されていたのも、咆哮するライオンと法輪を転がす男性像だった。

マウリヤ朝は、紀元前三世紀のアショーカ王の時代に、インド亜大陸をほぼ統一して最盛期を迎えた。軍事力によって領土を拡大することに逡巡のなかったアショーカ王は、当初「暴虐のアショーカ」とさえ呼ばれ恐れられていた。しかし東部のカリンガ国を征服した際、ついに数十万人もの犠牲者を生む。この凄惨な出来事が暴虐な指導者を目覚めさせたと言われている。悔恨した王は仏教への信仰を篤くし、非暴力を掲げた「ダルマ（法）による統治」の実現者へと、生き方を一変させた。

この「ダルマ」とは何か。アショーカ王自身の定義によれば「慈愍、施与、真実、清浄、柔和、善良」であり、「あらゆる生命に対する不殺生・不傷害」、「他者への礼節」、「自己規律」という実践項目だった（山崎元一『アショーカ王とその時代』春秋社）。

何らかの外形的・外発的な規律に従わせるのではなく、〝善く生きる〟という個々の内発的なものを喚起させていく統治。

アショーカ王は、みずから仏教史跡を巡礼して釈尊を顕彰する事業をおこなう一方、各地に法勅を刻んで官吏や民衆に「ダルマの実践」を奨励した。各地に残るアショーカ王の法勅のうち、アフガニスタンのカンダハールにある丘陵の岩壁に刻まれた小摩崖法勅は、ギリシャ語とアラム語[4]で記されている。

またアショーカ王は信教の自由を認めた。街道に日陰をつくる街路樹を植え、井戸や休憩所を整備した。薬草や果樹の栽培を促進し、人間や動物のための医療施設を整備するなど、その政治において慈悲と寛容を体現することに余念なかった。紀元前三世紀、すでにインドには当時としては先端の「福祉国家」が実現されていた。

アショーカの名は理想的な統治者として、仏教が伝播した地で古くから讃えられている。作家のH・G・ウェルズや欧州統合の父リヒャルト・クーデンホーフ＝カレルギーも、人類史でもっとも偉大な王としてアショーカの名を挙げた。

ガンディーと法華経

ところで、一九〇二年に出会ったタゴールと岡倉天心は、何を語り合っていたのだろうか。天心はこのインド滞在中に英文で『東洋の理想』を書き上げた。彼はそのなかで「日本はアジア文明の博物館となっている」（富原芳彰訳／ちくま学芸文庫）と表明している。『東洋の理想』は「アジアは一つである」という書き出しではじまる。天心は中国とインドという二大文明を俯瞰するように、儒教や仏教の成り立ちから書き起こし、古墳時代から明治時代に至るまで、日本の芸術と思想を欧米社会に向けて説こうと試みた。

この『東洋の理想』は、タゴールとの対話と並行しながら書かれた。つまりタゴールは、単に典籍を通して釈尊の思想を再発見したのではなかった。岡倉天心との対話から、日本という国、日本の芸術を通して、インドの叡智の普遍性に触れた。釈尊の思想が過去の遺物ではなく、現代に意味を持ち得るものであることを知った。

イギリスの植民地支配に誇りを剥ぎとられていた当時のインド。そのインドで生まれた思想が遠く日本にまで伝播して、千数百年も保存され、豊饒な文化芸術の沃野をはぐくんでいる。その結果、当時のアジアで唯一、日本が欧米列強に伍する近代国家になろうとしていた。タゴールにとって、釈尊の再発見と日本との邂逅は、抑圧され疲弊したインドの〝ルネサンス〟の可能性を十分に確信させるものになったに違いない。

こうした二〇世紀初頭のインドにおける〝釈尊の思想の再発見〟は、マハトマ・ガンディー（一八六九―一九四八）やジャワハルラル・ネルー（一八八九―一九六四）にも多大な影響を与えることとなる。

サンスクリットの世界的権威で「現代ヒンディー語の父」と呼ばれているラグ・ヴィラ（一九〇二―一九六三）は、若き日に留学先のロンドンで仏教に触れた。その後、姉崎正治の英文著作『Nichiren:the buddhist prophet』（一九一六年／ハーバード大学出版局）を読んで日蓮と法華経を知った。同書の邦訳は同じ年に博文館から『法華経の行者日蓮』として刊行されている。

現実社会を重視する法華経の思想がインドから生まれたこと。法華経に根ざした日蓮の思想が「立正安国」という社会変革の理念に貫かれていること。植民地としてイギリスの圧政に苦しむ祖国を見ていたラグ・ヴィラは、そこに深い関心を持った。

マハトマ・ガンディーの孫のアルン・ガンディー（一九三四―）は、祖父がアシュラム（道場）での毎日の祈りの冒頭に「南無妙法蓮華経」という題目を取り入れていたことを覚えている。ガンディーは一九三三年に日本から訪れた僧侶の一団から題目を教わったものの、その哲学的な背景を理解しかねていた。そこで親友のラグ・ヴィラを呼んで七文字の漢字の意味と背後にある思想を教わったのだった。

ラグ・ヴィラの息子であり、サンスクリットと仏教美術研究の大家であるインド文化国際アカデミー理事長ロケッシュ・チャンドラ（一九二七―）は、父とガンディーのやりとりについて重要な証言をしている。


ガンジーは、「南無妙法蓮華経」が、人間に内在する宇宙大の究極の表現であり、宇宙の至高の音律が奏でる生命そのものであることを覚知していました。

そして、ガンジーは、「法華経」の中国語と日本語の経典、およびサンスクリットの原本について、私の父に尋ねたのです。父は、題目の歴史的背景と七文字の漢字の意義を教えました。

（中略）

ガンジーは、法華経の原典が、インドの古典語・サンスクリットであることを知って、大いに喜びました。何とかしてその「法華経」を手に入れたいと願ったガンジーに、父は手元にあった「法華経」を贈ったのです。（『東洋の哲学を語る』第三文明社）

ラグ・ヴィラは自分がふたつ所有していた貴重なサンスクリット『法華経』（ケルン・南條本[5]）のうち、ひとつをガンディーに贈った。ガンディーは、インドで生まれた叡智が日本人とヨーロッパ人の手によって復興され、ロシアで出版されたことを知って大いに喜んだ。

国章と国旗に刻まれたもの

アショーカ王の理想は二〇〇〇年以上のときを越えて、すでに仏教の途絶えた二〇世紀のインドに刻まれることとなった。

第二次世界大戦後、インドはイギリスからの独立を果たした。だがイギリスという支配者の重しが外れると、独立運動の渦中から表面化していたヒンドゥー教徒とムスリムとの対立が一気に激化する。一九四七年、ムスリムの多く住む地域がパキスタンとして分離独立。翌年には、ムスリムとヒンドゥーの融和を訴えていたガンディーがヒンドゥー至上主義者の凶弾に倒れた。

このような混乱のなか、インド共和国の新生にあたって、初代首相ネルーが「国章」（口絵9）に制定したのが、サルナートの獅子柱頭を図柄化したものだった。

釈尊がはじめて法を語った（転法輪した）ことを宣揚するため、アショーカ王が建てた石柱の頂に刻まれた獅子像。国章の図柄の下にはサンスクリットで「真理こそが勝利する」と記されている。この文言まで含めて「国章」であることが法律で定められている。

ネルーは、インド統一の王アショーカに深い敬慕を寄せる心情を、獄中で綴った著書『インドの発見』に記している。そして、のちに共和国の紋章に獅子柱頭の図柄を採用した理由についても、こう述べた。


今もインド中至る所に、アソカ王が二千年以上前の人々に「正しくあれ」「忍耐強くあれ」等々と呼びかけた碑文を記した大きな塔碑がみられます。

私共は今日の新しい動的な我がインドに於いてこの象徴を忘れたくなかったのです。（『自由と平和への道』井上信一訳／社会思想研究会出版部）

また、独立時に制定されたインド国旗は、ヒンドゥーを意味するサフラン色とイスラムを意味するグリーンが、調和を意味する白地を挟み、その白地の中央に「アショーカ・チャクラ」が描かれている。サルナートの獅子柱頭に刻まれている法輪だ。それはアショーカが理念とした〝現実社会に転じられるべき法（ダルマ）〟を意味する。

インドは、その国旗と国章に、タゴールが再発見したものを刻んでいる。ちなみに、インドの国花は「蓮」。

アショーカ王の「法による統治」「非暴力と寛容」の理想。二一世紀の大国となりつつあるインドにおいて、この理想はいかに復権されるのだろうか。

われわれの未来の秘密

岡倉天心の『東洋の理想』は、それが綴られた時代背景もあって、今日から読めばナショナリズムや帝国主義的な声色を感じさせる。けれども、二〇世紀の夜明けに彼が抱いていたのは、ひとつの危機感であり、ひとつの希望だったのではないかと私は思っている。

明治維新とともに大量に流れ込んだ「西洋」と、それへの分別を欠いた迎合。アジアへの蔑視。政治的につくられた国家神道。これによって、日本人は自分たちの深層にみずみずしく流れ通っていたアジアからの水脈を見失ってしまった。

しかし「アジア文明の博物館」である日本が、もしもその水脈を正しく認識したならば。

日本とアジアが「アジアの思想、科学、詩歌、芸術の秘められた力」（『東洋の理想』）に目覚めることができるならば。

それは、日本の未来と同時にアジアの未来を潤すものになるに違いない。

> われわれはわれわれの歴史の中にわれわれの未来の秘密がかくされていることを本能的に知っており、われわれは盲目のはげしさをもってその糸口を見出そうとしてまさぐっている。
>
> もし実際にわれわれの過去の中に新しい生の泉がかくされているならば、いまこの時、それは一大強化を必要とするものであることを、われわれは認めなければならない。
>
> しかしその大いなる声が聞こえて来るのは、この民族の千古の道筋を通って、アジアそのものからでなければならない。（前掲『東洋の理想』）

この『東洋の理想』が一九〇三年にロンドンで出版されて、まもなく一二〇年になろうとしている。この間、私たちは過去の歴史のなかに隠されている「新しい生の泉」「大いなる声」というものを発見したのだろうか。

註

1——https://www.worldometers.info/world-population/india-population/

2——〈古代・中世の基本的な僧侶といえる興福寺・東大寺・延暦寺・園城寺などの官僧たちは、穢れの忌避という活動上の制約があった〉〈穢れには、死穢、産穢などがあった。死穢というのは、死体に触れたり、死体と同座したりすることにより起こる穢れで、それに触れる（触穢という）と三十日間も、謹慎生活を送る必要があった〉〈日本における死者供養仏教は、遁世僧たちによって担われ、確立されたのである〉松尾剛次「仏教者の社会活動」（『新アジア仏教史12　日本Ⅲ　躍動する中世仏教』佼成出版社）

3——サンスクリットでは「熱」を意味するtapas。心身のエネルギーを集中させて変化を生み出すこと。

4——古代西アジアでアラム人が使った言語。前一〇〇〇年紀前半、アラム文字とともにシリアからメソポタミアにひろまり、前五世紀にはアケメネス朝の公用語となり、全オリエントに拡大した。『旧約聖書』時代のイスラエル人・ユダヤ人もアラム語を使い、イエスとその弟子たちや多くの東方キリスト教徒の母国語であった。（『旺文社世界史事典 三訂版』）

5——ヘンドリック・ケルン（一八三三―一九一七）と南條文雄（一八四九―一九二七）によって編纂された世界最初の梵文法華経校訂本。ネパールで出土した六種の梵字法華経を南條が校訂したものに、さらにケルンが校訂を加えた。一九〇八年から一九一二年にかけてロシアのサンクトペテルブルクで『仏教文庫』（Bibliotheca Buddhica）シリーズとして四分冊で発刊された。

第8章

敦煌莫高窟

アジアの記憶の古層をたどって

法華経の成立

釈尊の入滅から一〇〇年ないし二〇〇年ほど経つと、仏教はインダス川流域の西インドあたりまでひろがっていった。物理的に分散すると、各地域のサンガには考え方や規則の違いが出てきた。いわゆる部派仏教の時代のはじまりだ。

釈尊は、自身が「目覚めた人」であり、自分と等しく誰もが「目覚めた人」になれるようにと法を語った。

仏典には、八聖道の第四「正しい行為」に、「配偶者以外との性行為をしないこと」が挙げられている（『中部』一四一「諦分別経」）。出家者のみの実践であれば、ここは「性行為をしないこと」でなければならないから、この定義は、八聖道が出家者のみならず在家信者にも開かれていたことを意味する。

したがって、初期仏教では、解脱するのに在家と出家の間で区別はなかった。将来、解脱することが確定した在家信者の名が仏典でしばしば挙げられるし、在家信者に対して天界への再生よりも涅槃を目指すよう説かれてもいる。（馬場紀寿『初期仏教ブッダの思想をたどる』岩波新書）

それが部派仏教の時代になると、ブッダと見なされるのは釈尊だけに限定され、出家の仏弟子たちはブッダをめざすのではなく、煩悩を断って輪廻から脱する阿羅漢をめざすことになる。そして在家の信者は、僧や仏塔に供養することで、死後に天界に生まれることを願うしかないという存在にされていった。[1] ブッダが神格化され、人々のめざす先が〝下方修正〟されただけでなく、出家と在家のあいだに差別が設けられてしまったのだ。[2]

これに対して、みずからも求道者としてブッダへの軌道を目指しつつ、同時に人々をブッダの軌道へと導いていく「菩薩乗」を主張する運動が生まれてくる。彼らはこの「菩薩乗」をマハーヤーナ（大いなる乗り物）と呼んで、出家者たちの「声聞乗」「独覚乗」をヒーナヤーナ（劣った乗り物）と呼んだ。この漢訳が「大乗」「小乗」となる。

「菩薩乗」を強調し宣揚する大乗の経典は、「声聞乗」「独覚乗」の男性出家者だけは成仏できない（不作仏）と糾弾した。

大乗仏教は、「釈尊の原点に還れ」という復興運動であった。釈尊が教えを説いたのは、だれ人をもブッダ（覚者）とするためであって、声聞乗や、独覚乗に甘んじているのは釈尊の本意ではないとして、菩薩の自覚に立ってブッダとなることを求めるべきだと主張した。（植木雅俊『思想としての法華経』岩波書店）

やがて、こうした大乗と小乗の対立を超克し、釈尊の思想の本質に迫ろうとする新たな動きが出てくる。紀元前後頃、そこから法華経が編纂されていく。

法華経では、釈尊が「声聞乗」「縁覚（独覚）乗」「菩薩乗」を説いたのは、それぞれ相手の機根に応じた方便だと位置づけた。そして、すべての人がブッダへの道に入れる「一仏乗」こそ釈尊の真意であるという思想が示される。

「いわゆる声聞、独覚も仏の立場から見れば、皆、菩薩なのであって」（前掲『思想としての法華経』）、声聞も独覚も、さらに女性も悪人も在家も、誰もが等しくブッダになれるという経典。法華経を編纂した人々は、部派仏教と大乗の対立を止揚統一して、釈尊の思想の原点に帰らせようとした。

さらに法華経では、釈尊が涅槃（入滅）したのは方便であり、実際には永遠の過去にブッダとなって以来、この娑婆世界にあって無数の菩薩たちを教化してきたこと。その寿命は未来へも〝常住〟であることが説かれる。

東方浄瑠璃世界や極楽浄土といった清らかな別世界ではなく、この煩悩に満ちた娑婆世界こそが〝永遠のブッダ〟の本国土だという思想が誕生した。そして、釈尊滅後の悪世にあって、誰がこの法華経を受持して弘めるのかという問題が、法華経の重要なテーマとなる。

その滅後の流布を考えるうえで、法華経という経典そのものへの信仰が強調されている。法華経のなかに〝如来のすべてがある〟という思想だ。

法華経は壮大なスペクタクル映画の脚本を思わせる構成になっている。

過去に入滅した歴史上の釈尊ではなく、永遠にこの娑婆世界に常住する釈尊。それは法華経という経典のなかに生き生きと存在しており、いつでも会うことができる。法華経の終盤では、薬王菩薩、妙音菩薩、観世音菩薩、普賢菩薩など、さまざまな菩薩が法華経と密接な関係の存在として描かれる。

交易路が発達し、多様な文化背景を持った人々が出会うなかで、仏教はより普遍性を持った宗教へと成熟が求められた。法華経編纂者たちは異質な信仰を排斥するのではなく、むしろ永遠のブッダのもと、法華経のなかに包摂することに努めた。

釈尊の時代からおよそ五〇〇年。ここから先の人類を照らす思想として、法華経は成立していった。

シルクロードの深夜特急

クリスマスの日の午後六時。私たちをのせた寝台列車「敦煌号」は、蘭州駅を出発した。漆黒のシルクロードをひたすら西北西へ進む。二四年ぶりにインド各地を巡った二〇一四年の暮れ、私はふたりの若い友人と一緒に中国を旅していた。

シルクロードの要衝・敦煌の莫高窟を見学することは、私の長年の夢だった。

莫高窟に最初の窟が開かれたのは四世紀後半。そこから元の時代まで、およそ一〇〇〇年間、造営が続いた。漢代からの歴代王朝にとって、敦煌は西端の軍事拠点であると同時に西域交易の拠点でもあった。敦煌は最果ての砂漠の街というよりも、西域や中東、地中海、ローマから、いち早く情報と文物が入ってくる最先端の土地だったのだ。中国の絹を求めて、さまざまな民族の商人も往来していたのだろう。一帯の遺構からは大量の絹製品が発掘されている。

その敦煌が廃れていったのは、一三世紀頃からアラブやヨーロッパとの交易ルートが圧倒的に海路になったこと、インドや中央アジアがイスラム化して、そこから仏教が姿を消したことが大きい。敦煌の東側にある嘉峪関が一六世紀に閉鎖されると、訪う人も途絶え、莫高窟は砂漠の砂に半ば埋もれていった。

今日、世界遺産としての敦煌莫高窟があるのは、文字どおり命がけの苦闘で復元と保全に生涯を捧げた、敦煌研究院初代院長・常書鴻氏らの功績というしかない。近年では三代院長だった樊錦詩氏の尽力でデジタルアーカイブ化が進んでいる。

蘭州から敦煌までは一〇〇〇キロあまり。わざわざ極寒の季節に旅をすることになったのには、少々わけがあった。

以前に私の事務所でアルバイトをしてくれていた青年が、その後に北京語言大学[3]に留学し、この年の一二月半ばに留学を終えて年内には帰国することになっていた。つまり私にとって気の置けない通訳付きの旅行ができる最後のチャンスでもあった。莫高窟の保護のため、翌年以降は公開される窟が大幅に減るという話も聞いていた。

およそ二週間。北京から西安へ。そこから甘南チベット族自治州にある標高四〇〇〇メートルの夏河（かが）へ。黄河の要路の街・蘭州を経て、鉄路で一二時間かけ敦煌へと向かった。寝台特急に乗客はほとんどおらず、同行のふたりは誰もいない食堂車で真夜中まで話し込んでいたらしい。私はあいにく西安を発つ朝から風邪をこじらせたままで、早々とベッドにもぐりこんでいた。

カーテンを少し開いて目を凝らしても、窓の外は漆黒の闇。規則正しい鉄輪の音だけが横たわる私の身体を包んで、地の果てへと運んでいく。列車は午前六時ちょうどに、人気もまばらな敦煌駅に滑り込んだ。

一九世紀最後の年

「それでは、なかに入りましょう」

若い係官は日本語でそう言うと、持っていた鍵の束で厳重な錠を開けた。

「足もとに注意してください」

狭い入口から、彼が手にしている小さな懐中電灯に導かれて、私たちは薄暗い石窟のなかへと足を踏み入れた。外国人の場合は特定の言語を話せる人がガイドにつくシステムになっているようだった。

歴史のなかに忘れ去られていた敦煌莫高窟が、「敦煌文書」の発見によって世界の耳目を集めるのは一九世紀最後の年のこと。敦煌市街の南東。鳴沙(めいさ)山と呼ばれる砂漠の東端の断崖に、大小七〇〇を超える「窟」が掘られている。

清朝末期の一九〇〇年。第一六窟の壁中に隠されていた小さな空間が偶然見つかり、なかから五万点とも六万点とも言われる古文書などが発見された。数がハッキリしないのは、そのほとんどが発見者である王円籙(おうえんろく)によって外国人に売却されてしまったからだ。

この世紀の大発見について、敦煌研究院の二代院長だった段文傑(だんぶんけつ)氏は、

> 敦煌文書の多数を占めるのは仏教経典である。そして、経典中最も多いのが『法華経』なのである。(『中国敦煌展図録』東京富士美術館)

と述べている。

さて、懐中電灯で導かれた窟のなかは、思ったより広く天井が高かった。

正面と左右に、やや大きな仏像がある。係官は、左が燃燈仏(ねんとうぶつ)、正面が釈尊、右側が弥勒(みろく)菩薩

だと説明してくれた。壁と天井には小さなブッダの絵が、びっしりと描かれている。全部同じデザインで、それこそ「千仏」の名のとおり本当に一〇〇〇体あるのではないかとさえ思われた。

私が「これは法華経の序品ですね」と尋ねると、係官は少し嬉しそうに「そうです」と応じた。

鳩摩羅什訳の法華経は、全部で二八の品（章）で構成されている。

一番はじめの序品に登場する燃燈仏は、長遠な過去に出現した日月燈明仏の息子。釈尊は過去世においてこの燃燈仏を師として修行をしたことになっている。また弥勒菩薩は釈尊の弟子であり、遥かな未来においてブッダとなる存在である。

師弟連綿の三体の仏像は、「過去」も「現在」も「未来」も衆生に法華経を説き続けるブッダを意味している。そして壁と天井の千仏は、宇宙の十方の国土にブッダが出現することをあらわしている。この窟に籠って瞑想する修行者は、時間的に永遠で、空間的に無限の「仏の生命」に包まれ一体化する自分を実感したのだろうか。

莫高窟では、ほかにもいくつかの窟を見せてもらった。描かれた壁画のうち、早い時期のものは中国の神話と仏教的なものの融合が見られる。やがて仏教は〝異教〟の立場から中国の宗教へと受容が進み、隋唐時代に入ると壁画でも経典の物語そのものが扱われている。

およそ一〇〇〇年ものあいだ、各時代の画工たちは、この石窟で暮らしながら新たな窟を掘り、そこに心血を注いで仏画を描き続けた。多くは経典の内容をわかりやすく描写した「経変（きょうへん）」で、法華経を題材にした壁画も多い。保存されていた写本で法華経がもっとも多かったように、この地では法華経が篤く信仰されていた。

莫高窟は経典の世界観を二・五次元の世界に再現するものであり、そこは仏道修行の場として、あるいは人々の信仰の場として使われていた。

記憶の古層

莫高窟を見学した日の午後は、鳴沙山の砂漠を観光した。ラクダの背に揺られてとはいえ、氷点下二〇度近い真冬の砂漠は風邪の身体にこたえた。

翌日はさらに一八〇キロ西方の雅丹（ヤルダン）国家地質公園まで足を延ばした。ここは別名を「敦煌魔（ま）鬼城（きじょう）」という。公園といっても風によって古い地層が侵食された、奇岩怪岩の景色が視界の彼方まで続く土地だ。

地元のドライバーが運転するバンをチャーターして早朝に敦煌市内のホテルを発ったのだが、魔鬼城に到着する少し前からエンジンの調子が怪しかった。てっきり現地で昼食をとれると思っていたら、オフシーズンでレストランも営業していない。二時間ほど広い公園内を回ったあと、空腹を抱えたまま、午後にバンで帰路に就いた。

ところが、三〇分ほどしてドライバーが舌打ちをした。ゴビ灘のなかを地平線から地平線まで一直線に伸びた道路の真ん中で、私たちの乗ったバンは止まってしまったのだ。彼はしばらくボンネットを開けてあれこれ触っていたが、あきらめたのかどこかに電話をかけていた。空調も止まったので車内の換気が利かない。外に出ると冷気で顔が痛い。

乾いた石ころが地平線まで続く、まるで別の惑星のような景色のなかに立って、私はそこが音のない世界であることに気づいた。仏教は、こんな過酷な場所を通ってきたのだと今さらながら実感した。

三時間少し経った頃、敦煌市内から中年男性が別のバンで救援にやって来た。彼らは私たちをその古びたバンに移すと、見るからに頼りない細いロープで二台の車を結びはじめた。私たちを移した車で故障車を牽引(けんいん)していくつもりなのだ。敦煌市内まで、まだ一五〇キロはあるだろう。ほどなく右手の地平線に太陽が赤々と落ちていった。

考えれば出発前の早朝に小豆粥(あずきがゆ)を食べたままだ。砂漠での凍死を免れたものの、私はさすがにうんざりした気分になって、他の車の半分ほどの速度で流れていく日の暮れた車窓の外を眺めていた。車内の誰もが黙り込んでいる。午後七時近くなってようやく敦煌の街灯りが遠くに見えたときは、往古(おうこ)の旅人の心持ちを思わずにはいられなかった。

故障して牽引されたバンに乗ってハンドルだけを握っていたドライバーは、歯の根が合わないほど震えていた。エンジンがかからず暖房の利かない極寒の車中で三時間ほど耐えていたのだ。一緒に乗り合わせていた中国人の女子大生ふたりは、降りる際に厳しい口調でクレームを言って料金をまけさせていた。

救援を呼んだことと修理代で、ドライバーのきょう一日の稼ぎは水の泡になってしまうだろう。私たちは事前に聞いていたとおりの正規料金を彼に手渡した。四角い顔をした小柄なドライバー氏は、丁寧に礼を言って受け取ってくれた。

翌々日、暮れも押し詰まった東京に戻ってくると、なんとも暖かく感じられたものだ。

私は帰国したあともずいぶん長いあいだ、いったい自分があの莫高窟で見てきたものは何だったのだろうかと考え続けていた。東京からはるばる、遠い地の果ての、千数百年も前の遺構を訪ねていった。なのに、私には遠くに行って昔のものを見たという感覚があまりなかった。

では、自分はどこに行っていたのか。あえて言えば私という生命の、見たこともなかった深部にまっすぐ潜行し、内なる何かに触れて、ふたたび戻ってきたという気がした。

人類史にとって、敦煌はまさしく遠い〝記憶〟だ。実際、砂漠の果てに忘れ去られていたものが、思いがけない拍子に忽然（こつぜん）と浮かび上がってきた。

だが同時にそれは今を生きる人類の、少なくともアジアの人々の、生命の深いところに沈積する記憶の古層でもあるだろう。自分たちが知ろうと知るまいと、私たちの記憶の深いところには壮大な思想が沈んでいる。

政治や経済の次元ばかりが語られがちだが、だからこそ、共有する深部の記憶に思いを巡らすことが必要な時代に入ってきているのかもしれない。

仏教東漸

インドで生まれた仏教は、その後どのようにして他の地域にひろがっていったのか。

おそらく一般的によく知られているのは、ふたつのルート。ひとつは北西側の中央アジアに抜けてからシルクロード沿いに東に向きを変え、中国を経て韓半島から日本に至るライン。もうひとつは、スリランカやインドシナ半島方向に向かうライン。

前者が〝北伝〟と称される大乗仏教で、後者は〝南伝〟と称される小乗仏教という解説に覚えのある人も多いと思う。

しかし、実際の伝播(でんぱ)はそれほど単純でもなかった。まず〝北伝〟であれ〝南伝〟であれ、西から東へという一直線の流れではない。ときに東から西へという逆輸入が何度も繰り返された。

仏教史は諸国・諸地域・諸民族の複雑な相互交流・相互影響の歴史であり、その過程で

- 仏教徒の主要な拠点
- 紀元前6-4世紀の仏教の中心地、インドのガンジス川流域
- 仏教徒が多数を占める地域
- 歴史的には仏教がひろがっていた地域
- 部派仏派
- 大乗仏教
- 上座部仏教
- 密教

仏教伝播の概略地図

Gunawan Kartapranata による仏教伝播図
（ウィキペディア：仏教のシルクロード伝播）より作成

の変容の歴史だったのだ。（石井公成『東アジア仏教史』岩波新書）

じつは大乗仏教は〝南伝〟ルートでもひろがっている。

五世紀から六世紀頃、現在のカンボジアでは大乗仏教が盛んになっていた。アンコール遺跡群を形成するヒンズー寺院バイヨンは、一二世紀から造営がはじまったが、当初は大乗仏教寺院だった。七世紀にはマレー半島やスマトラ島にもインドから大乗の中観派と唯識派がもたらされ、八世紀には密教も伝わっている。インドネシアのジャワ島にある巨大なボロブドゥール遺跡は、八世紀に造営された大乗の寺院だ。

仏像が誕生するのは紀元一世紀から三世紀頃で、それは現在のパキスタン北西部にあたるガンダーラ地方と、北部インドのマトゥーラ地方でほぼ同時に起きている。マトゥーラはデリーの南、タージマハルで有名なアグラに向かう途中にある。ガンダーラ系が眉や鼻がシャープなギリシャ彫刻風のヘレニズム様式であるのに対し、マトゥーラ系はいかり肩で全体的に丸みを帯びたまったく異なる様式。

何年か前にふらりと立ち寄った神戸の古書店で、興味深い本を手に入れた。中国仏教美術の専門家である阮栄春氏が日本で出版した『仏教伝来の道 南方ルート』（雄渾社／一九九六年）だ。同書は日中共同研究の成果の一部で、中扉を開くと当時の中国仏教協会会長・趙朴初氏の筆で「早期佛教造像南傳系統」と記されている。

沅氏は同書のなかで、中国全体の仏像の造像様式を見ると、ガンダーラの影響はそれほど強くないこと。むしろ中国の仏像はインドから雲南やインドシナを経た〝南伝〟のマトゥーラ系が主流であること。さらに、大陸から日本に招来された仏像もマトゥーラ系が多いことを検証している。

武寧王の子孫

サッカーワールドカップが日韓共催でおこなわれた前年の二〇〇一年一二月。当時は天皇だった現在の明仁(あきひと)上皇は、誕生日を前にした記者会見で次のように語った。

日本と韓国との人々の間には、古くから深い交流があったことは、日本書紀などに詳しく記されています。韓国から移住した人々や、招聘された人々によって、さまざまな文化や技術が伝えられました。宮内庁楽部の楽師の中には、当時の移住者の子孫で、代々楽師を務め、今も折々に雅楽を演奏している人があります。

こうした文化や技術が、日本の人々の熱意と韓国の人々の友好的態度によって日本にもたらされたことは、幸いなことだったと思います。日本のその後の発展に大きく寄与したことと思っています。

私自身としては、桓武天皇の生母が百済の武寧王の子孫であると、続日本紀に記されていることに、韓国とのゆかりを感じています。武寧王は日本との関係が深く、この時以来、日本に五経博士が代々招聘されるようになりました。
また、武寧王の子、聖明王は日本に仏教を伝えたことで知られております。[4]

百済の聖明王から倭国に一体の仏像と若干の経典が伝えられたのは、『上宮聖徳法王帝説』『元興寺縁起』などによれば五三八年とされている（『日本書紀』では五五二年）。この「仏教公伝」も、一方的に百済の王から倭国にもたらされたというよりも、実際の背景はもう少し複雑で興味深い。

六世紀初頭の百済と倭国は、相互に親密な往来をしていた。『日本書紀』に引用された『百済新撰』によれば、百済の第二五代武寧王は四六一年、父の昆支君が倭国に来た際に九州北部の加唐島で生まれている。五〇二年の即位まで四〇年間の消息は不明なので、長いあいだ倭国にとどまってたのではないかという説もある。

五二三年に武寧王が逝去したあと、即位したのが息子の聖明王。『日本書紀』は、同じく武寧王の子（つまり聖明王の兄弟）である「百済太子淳陀」が倭国にとどまったまま五一三年に逝去したことを伝えている。そして『続日本紀』は、桓武天皇の生母の祖先が「百済武寧王の子純陁太子」だと記している。

この六世紀初頭、高句麗や新羅と緊張状態にあった百済はたびたび倭国に軍事支援を求め、その見返りとして五経博士[5]・易博士・暦博士・医博士・採薬師・楽人・僧などを交代制で倭国に派遣した。これら文化人には中国南朝系[6]の人が多く、倭国は百済を介して南朝文化（漢の貴族文化を継承した六朝文化）をも受容していたと考えられている。「仏教公伝」も、こうした相互支援のなかでおこなわれた。

大阪市東住吉区今林にJR貨物の「百済貨物ターミナル駅」がある。二〇一三年までは「百済駅」という名称だった。また、これとは別に東住吉区杭全には、戦前まで関西本線の旅客駅として「百済駅」があった。

百済王朝最後の義慈王の子・善光は同盟関係の人質として倭国で暮らしている。その後、六六〇年の白村江の戦いで百済が滅亡。善光は難波にとどめ置かれ、持統天皇から「百済王」という姓を下賜され中央貴族となった。また亡命難民として渡来した多くの百済人が彼の周辺に定住し、その地域が七世紀に百済郡とされたと考えられている。

善光の子孫が陸奥国[7]の金鉱開発（この金が東大寺大仏建立に使われた）の功績で河内守になり、現在の枚方市に移転したことで百済郡は消滅した。その名残が、今も駅名にとどめられているのだ。

感染症と大仏

一九九七年二月。日本の初期仏教史を書き換える発見があった。

奈良県桜井市にある溜池「吉備池」周辺は、以前から瓦などが出土しており、かつて何らかの寺院があったと推定されることから「吉備池廃寺跡」と呼ばれていた。発掘調査にあたっていた奈良国立文化財研究所と桜井市教育委員会は、そこから飛鳥時代最大となる東西三六、二メートル、南北二七メートルの金堂の基壇を発見した。

「仏教公伝」からおよそ一世紀。舒明天皇が六三九年に百済川[8]の両岸に王宮（百済大宮）と寺院（百済大寺）の造営を開始したと『日本書紀』は記している。つまり、この百済大寺は日本で最初に建てられた官寺（勅願によって建立された寺院）である。ただ、これがどこに存在していたのかは、それまで特定できていなかった。

その後の調査で、この「吉備池廃寺跡」遺構が百済大寺であることが確定した。巨大な金堂基壇のほか、東西からは高さ八〇メートルから一〇〇メートルと推定される塔の基壇もふたつ発見された。二五階建てから三〇階建てのタワーマンションに相当する高さの塔だ。

「仏教公伝」のあと、廃仏派の物部氏らを抑え込んだ蘇我氏は五八八年、倭国最初の本格的な仏教寺院となる飛鳥寺（法興寺）の建設に着手した。堂塔の建設や仏像の制作にあたったのは百済の技術者たちだった。飛鳥寺は五九六年の冬に完成している。以後、畿内には蘇我氏やその血統の王族が五〇近い僧寺・尼寺を建てた。

蘇我氏の血をひかない舒明天皇が、天皇としてはじめて壮大な官寺の建設に着手したことは、蘇我氏に対抗する目的があったのかもしれない。蘇我氏は六四五年の「大化の改新」の際に滅ぼされている。

百済大寺からさらに一世紀を経た七三五年から七三七年、日本は深刻な感染症禍に見舞われた。ときの聖武天皇は七四一年に全国に国分僧寺（金光明四天王護国之寺）・国分尼寺（法華滅罪之寺）の建立を命じる。さらに総国分寺として東大寺、総国分尼寺として法華寺が建立された。

七五二年の東大寺の大仏（毘盧遮那仏）❖[9]開眼法要は、唐から招いたインド僧・菩提僊那（ボーディセーナ）によっておこなわれ、ペルシャ人李密翳、唐の楽士・皇甫東朝らも参列している。橋本麻理氏の『かざる日本』の冒頭には、その法要の美しいありさまが次のように記されている。

> 鎮護国家の要として造立された大仏の開眼供養法会に際して、導師を務めたインド人僧菩提僊那が執る筆には、約二〇〇メートルに及ぶ縹色の縷がつながれた。聖武太上天皇以下法会に参列した人々はその縷を手に、大仏と結縁を果したという。（橋本麻理『かざる日本』岩波書店）

註

1——石井公成『東アジア仏教史』岩波新書

2——もっとも、この出家者と在家のめざす先についての区別は必ずしも絶対的なものではなかったともいう。中村元『原始仏教の思想Ⅰ』中村元選集（決定版）第一五巻／春秋社

3——一九六二年に創立された北京市海淀区に本部を置く中国の国立大学。中国教育部直属の国家重点大学のひとつ。外国人向けの中国語教育で国内最高峰の名門。

4——宮内庁ウェブサイトより。句読点や漢字表記は若干あらためた。

5——百済の官職名で、五経とは『易経』『書経』『詩経』『春秋』『礼記』をいい、これらにすぐれた学者を博士という。継体天皇の五一三年から交代で来日、儒学の教授としてわが国の学問の発達に大きく貢献した。(『日本史事典 三訂版』旺文社)

6——中国が南北に分かれて争った南北朝で中国南部に存続した、宋・斉・梁・陳の四王朝を言う。華北の遊牧民族の作った北魏などの北朝に対し、漢民族が江南を中心に支配した。都はいずれも建康（現在の南京）に置かれた。文化的には漢の貴族文化の伝統を継承し六朝文化（宋の前の呉と東晋をいれて六つの漢人王朝の意味）と言われる。(ハイパー世界史用語集)

7——古代には「みちのく」と読まれていた。令制国の一つで東山道に属する。現在の福島県、宮城県、岩手県、青森県、秋田県の一部。

8——奈良盆地を流れる曽我川の古称。

9——『華厳経』の教主とされる仏。サンスクリットVairocanaの音写。「輝くもの」の意味で、元は太陽の光

照のことだったが、のちに仏教に取り入れられ根源的な仏とされた。

第9章

道成寺伝説

最古のエンターテインメント

日出処の天子

さて、日本における法華経の受容を考えるとき、最初のキーパーソンとなるのはやはり聖徳太子（五七四―六二二）だろう。

推古天皇の摂政だった聖徳太子は、経典の注釈書として『法華義疏』『勝鬘経義疏』『維摩経義疏』を著したとされている。ただし、聖徳太子著作説の真偽について学術的には議論が定まっていない。そのことを一応踏まえたうえで、少しばかり想像を巡らせたい。

勝鬘経はインドのコーサラ国のプラセーナジット（波斯匿）王の娘で、アヨーディヤー国に嫁いだ王妃・勝鬘夫人が主人公。また維摩経は在家の維摩詰が主人公で、釈尊の出家の高弟を論難するという筋立ての経典。王族と在家が仏教の指導的立場として描かれる経典を、聖徳太子が重視したとしても不自然ではない。

では、太子はなぜこれらと並んで法華経を重要視したのだろうか。

聖徳太子筆とされる『法華義疏』は、現存する最古の書跡として皇室御物になっている。[❖1] 全四巻の内容は、主に中国の光宅寺法雲の著作『法華義記』を引用して、提婆達多品を除く法華経を注釈したものだ。

この『法華義疏』では興味深い表現がある。法華経の安楽行品では、弘通者が仏道修行の道を踏み外さないよう、とるべき行動（身安楽行）として、近づいてはならない対象を列挙している。権力者、外道の宗教者、名声を求める世俗の文化人や現世主義者、独身女性、売春を業とする者などだ。経典は、それらを挙げて「親近せざれ」と戒めたあと、

常に坐禅を好んで、閑かなる処に在って、其の心を修摂せよ。

と勧めている。ところが『法華義疏』ではなぜかこの最後の部分が経典の原意とは正反対に、

常に坐することを好む少（小）乗の禅師に親近せざれ（花山信勝校訳『法華義疏（下）』岩波文庫）

となっている。なぜそのように、あえて経典と一八〇度違う表現に変えたのか。『法華義疏』はその理由も記している。

顛倒分別の心有るに由るが故に、此を捨てて彼の山間に就きて、常に坐禅を好むなり。然れば則ち、何の暇ありてか此の『経』を世間に弘通することをせん（前掲書）

世俗社会を捨てて山間に籠って坐禅をすることを好んでいては、〝滅後悪世に法華経を世間に

弘通せよ〟という法華経の精神を実践できないではないか。だから、そのような者に親近してはならないのだ――と述べているのだ。つまり『法華義疏』の著者は、法華経を個人の内面に閉じた信仰ではなく、どこまでも世間（現実社会とそこに生きる人々）を救済していく思想だととらえていた。

また『法華義疏』では、法華経について「大乗」ではなく「一大乗」という形容をしている。法華経が小乗と大乗の対立を止揚して万人の成仏を説いた〝一仏乗〟の経典であることを強調しているのだろう。差異にこだわらず多様なものを包摂し、万人が平等に成仏できるという法華経の思想に、著者が注目していたことがわかる。

西の敦煌と東の法隆寺

じつは、日本への「仏教公伝」の年として有力視されている五三八年、中国である人物が生まれた。のちの天台大師・智顗。中国天台宗の事実上の祖である。智顗は『法華文句』『法華玄義』『摩訶止観』を講述して法華経を宣揚し、観心の修行[❖2]である一念三千の法門を説いている。隋の文帝（五四一―六〇四）と煬帝（五六九―六一八）の篤い帰依を受けた。

聖徳太子は高句麗の渡来僧・慧慈から仏教を学び、大国である隋が仏教を基盤とし、官制を整えていることを知った。また、智顗によって法華経が最上第一の経典として宣揚されていることも理解していた。そして隋に倣って大乗仏教を政治の精神基盤とし、旧来の世襲的な氏姓制度ではなく能力主義の位階によって中央集権国家をつくりあげることこそ、太子にとって急務だった。

六〇三年に「冠位十二階」、六〇四年には「十七条憲法」を制定。天皇を中心とし、仏教を信奉する国家体制を整えようとした。六〇七年（『隋書』の記述では六〇〇年）に遣隋使を派遣している。このとき太子が国書を届けた相手が皇帝・煬帝だった。

煬帝は（隋を滅ぼした）唐代になって〝悪逆の暴君〟として記録されているが、万里の長城の修復や南北を結ぶ大運河の開通、律令の整備などで政治手腕を発揮し、すぐれた詩人としても知られている。

大陸では五七四年に北周の武帝（五四三―五七八）によって一度は廃仏が強行されていた。四万の寺院が廃止され、三〇〇万人以上の僧尼が還俗させられたという。しかし、隋を建国した文帝によって仏教は復興され、煬帝もその政策を継承した。

聖徳太子は六〇七年に小野妹子を使者として隋に送った際、煬帝の宗教政策について国書に「海の西の菩薩天子が仏教を興隆させていると聞いている」❖3と、煬帝のことを菩薩天子と記している。太子にとって最先端の仏教を学び国家の基盤に据えることは、大国・隋との外交を進めるうえでも不可欠だった。

同時代に天台大師・智顗が法華経を宣揚していたこと。太子が国家建設のモデルにしようとした隋では、煬帝がその智顗から菩薩戒を授けられ、仏教を庇護(ひご)していたこと。法華経が社会の多様性を包摂し、万人の善性(仏性)を認めて顕在化させていこうと呼びかける経典であること。

聖徳太子の事跡や政策を考える際、これらを重ねて考えると、より鮮明に見えてくるものがあるように思われる。

聖徳太子が法隆寺を建立したのは、小野妹子を隋に遣わしたのと同時期、六〇六年か六〇七年頃と考えられている。『日本書紀』によると法隆寺は六七〇年に焼亡し、わずかにズレた位置に現在の伽藍(がらん)が再建された。

現存する法隆寺は世界最古の木造建築だ。敦煌莫高窟を訪れた次の冬、奈良に出張する機会があった私は、久方ぶりに法隆寺まで足を延ばした。法隆寺金堂壁画を、どうしてももう一度自分の目で見ておきたくなったのだ。はたしてそこには、どこか見覚えのある図像と色彩が躍っていた。

敦煌研究院二代院長の段文傑(だんぶんけつ)氏は、莫高窟第一〇三窟の《釈迦霊山説法図(しゃかりょうぜんせっぽうず)》について、このように記している。

この壁画全体の主題は法華経変相図である。
（中略）
日本の法隆寺の金堂壁画にこれと非常によく似た場面がある。それらの菩薩の顔の様式はかつて、長安で生み出され西の敦煌と東の法隆寺へと分かれてひろまったものに違いない。肝心の長安（現西安）には遺例がないだけに、この壁画は貴重である。法隆寺、敦煌ともにほぼ同時代のものでもあり、興味深い。（東山健吾訳『美しき敦煌』潮出版社）

法隆寺金堂壁画は、一九四九年の火災で焼損した。高熱で色彩がほぼ失われたが焼失は免れ、一九五二年から境内の収蔵庫で保存されている。現在の金堂壁画は、焼損前の写真と模写をもとに安田靫彦（やすだゆきひこ）、前田青邨（まえだせいそん）、橋本明治（はしもとめいじ）、平山郁夫（ひらやまいくお）らの筆で復元されたものだ。

将来、保存状態に影響が出ないよう収蔵庫が改修されれば、オリジナルの一般公開も検討されているようで、楽しみにしている。

細部を磨いて加工する

縦軸と横軸――。縦軸は時間であり、横軸は地政学的なもの。

日本が長い時間をかけて独自の文化の統合と発展を遂げてくることができたのは、まずなによりも地政学的な条件が大きい。およそ二〇〇〇万年前から一五〇〇万年前。プレートの移動によってユーラシア大陸の東端が引きちぎられた。

そこから生まれた現在の日本列島は、アジアの東端の海に浮かぶ、南北三〇〇〇キロの弧状（こじょう）の島々だ。それは、大陸から見て太陽が昇る場所であり、偏西風の彼方にある土地。そして、その先は広大な太平洋がひろがる。太平洋から見れば、日本列島は北西の端に位置する。

シルクロードを渡ってきたもの。その北方のステップロードを渡ってきたもの。チベットから雲南（うんなん）の山岳を経て、湿潤な長江（ちょうこう）の下流域に伝わったもの。遠くインド洋から南シナ海を渡ってきたもの。それらはどれも日本列島にたどり着くと、そこから先には進みようがなくなる。

おまけに、アジアの最果てにあって四方を海にかこまれている。古くは七世紀の唐と新羅の連合軍も、一三世紀の大モンゴル帝国も、一六世紀のスペインやポルトガルも、日本への軍事侵攻を果たすことはできなかった。

演劇評論家の重鎮である渡辺保氏は、「日本人らしさ」「日本の伝統文化」とは何かと問われたインタビューで、日本のオリジナルは富士山くらいしかないと答えた。[❖4] つまり元来あったものは地形くらいのもので、あとは何もかも外から渡ってきたものだと。

人も、食も、技術も、思想も、美意識も、この行き止まりの列島に集積されて、変容し、熟成し、発酵し、磨かれていく。磨かれたものだけが次世代へと受け渡されてきた。

渡辺氏は言う。

原産は外国だけれども、それを磨いて磨いて自分たちのものにする。これが日本文化の伝統です。だから、私たちがもっとも大切にしなければならないもの、次世代に渡さなければならないものは、この「細部を磨いて加工する」独特の感覚なんですよ。

（中略）

長い時間をかけて、洗練された思いもかけないものを作る。これが日本人です。たとえば、中国の三絃が沖縄へ渡って三線、蛇皮線になり、それが日本の三味線になる。しかしこの三つの楽器を比べて聴いてみても、同じ系譜の楽器とはとても思えない。三味線の音は繊細微妙で、日本のような湿気のある風土で生まれた上に、その音が磨かれて、ついには物語や風景、人間の心持まで語る楽器になったのです。「伝統文化」ということを人は簡単に口にするけれども、日本の伝統文化とは一体何かということを、もっと丁寧に考えていかなければいけないと思いますね。（CINRA.NET／二〇一四年一〇月九日）

私の仕事場の書架に、この渡辺氏の著作『娘道成寺』（駸々堂）がある。それによれば《京鹿子娘道成寺》は今日の歌舞伎舞踊のなかでもっとも上演回数の多いポピュラーな大曲だ。実際この演目の人気は、令和の世になった今も変わらない。

しかも『娘道成寺所作事伝系』には一七四四年（寛保四年）から一八〇五年（文化二年）までの六一年間に五二回の上演記録があり、記録に洩れたものまで類推すれば六〇回以上。つまり毎年一度はどこかで誰かが《娘道成寺》を踊っていたことになると、氏は記している。

三〇〇年近く圧倒的に愛されてきた人気演目。艶やかな赤地に枝垂桜と霞の振袖を着た町娘姿の白拍子が、金色の烏帽子をかぶり、中啓（扇）を手に、釣り鐘の吊られた満開の桜の前で舞い踊る。❖5 このビジュアルは、歌舞伎を見たことがない人でも、あるいはどこかで見覚えがあるかもしれない。

一九七〇年に発行された切手の「日本古典芸能シリーズ」第一集には、六代目中村歌右衛門が白拍子花子として舞う、この場面が使われている。そう、私が人生ではじめて《娘道成寺》という言葉と華やいだビジュアルを知ったのも、この切手だった。

ストーカー殺人事件

私たちが日本文化のなかで見落としてきた〝重要な何か〟。それは、思いがけないところで、私の前に気配を現した。

二〇一四年の秋。雨模様の夕刻、私は半蔵門にある国立劇場に足を運んだ。この日は東京都などが主催して「日本舞踊と邦楽による道成寺の世界――人間国宝と若き俊英の競演――」というプログラムが上演されたのだった。

演目は、舞踊と長唄による《娘道成寺》。邦楽と新内節による《日高川》。舞踊と荻江節による《鐘の岬》。《娘道成寺》を踊ったのは、市川海老蔵さんの妹、市川ぼたん(二〇一九年八月に市川翠扇を襲名)さん。上演に先立ち、ナビゲーターとして解説をつとめたのが渡辺保氏だった。

歌舞伎舞踊《娘道成寺》のベースになっているのは、能の《道成寺》。その原型は《鐘巻》という、今では東北の黒川能にのみ伝承される古い能。歌舞伎の《娘道成寺》は、全パートを略さずにやると、踊り手は一時間以上の長丁場をほとんどひとりで踊り続けることになる。卓越した技量と、凄まじい体力が要求される。この演目が歌舞伎舞踊の頂点とされている所以でもある。

能の《道成寺》も大曲だ。シテ(主人公)は小鼓と息を合わせながら一五分あまり激しい乱拍子を見せ、終盤は落下してくる鐘のなかに飛び込む。高まっていく賑やかな囃子と小鼓。女の情念をあらわすシテのアップテンポな舞い。水平方向に静かに動くことが基本の能のなかで、《道成寺》は異色のスペクタクルだ。

さて、それらのルーツにある道成寺伝説は、現代風に言うならばストーカー殺人事件と呼ぶべきだろうか。

熊野詣に行く途中の若い美形の僧と老僧が、独身の女の家に泊めてもらう。女は若い僧に一方的な恋愛感情を抱いてて肉体関係を迫るが、僧は熊野詣が済んだら戻ってくると言って上手くかわし、戻ることはなかった。騙されたことを知った女は大蛇と化して追いかけ、最後は道成寺の鐘のなかに逃げ隠れた僧を鐘ごと嫉妬の炎で焼き殺すというもの。なかなかショッキングで凄惨なストーリーである。

この伝説の原型は、一一世紀に成立した『大日本国法華験記』[7]の下巻に「紀伊國牟婁郡の悪しき女」として登場する。伝承によれば比叡山天台宗の僧・鎮源の作。しかも前述の凄惨な殺人事件は〝前フリ〟に過ぎない。この事件の数日後、殺害され蛇道に堕ちた僧が道成寺の高僧の夢にあらわれた。

自分は存命中に妙法（法華経）を受持していたが、修行の日浅く、宿業に引っ張られて悪縁に遭ってしまった。どうか法華経の如来寿量品をもって、われわれの苦を抜いてほしいと訴える。道成寺で法華経による法要をおこなったところ、その功徳によって女は忉利天に生まれ、僧は兜率天に生まれた。

よく知られた「安珍・清姫」の伝説は、この『大日本国法華験記』がベースになって後世につくられた。女は熊野の国造の子孫である真砂の庄司清次の娘・清姫。僧は安珍という名前になる。

歌舞伎の《娘道成寺》は、この事件の後日談。数十年あるいは数百年後に新しい鐘が復興されて、その鐘の音に誘われるように白拍子があらわれる。この白拍子こそ、かつて嫉妬の炎で鐘を焼いた女の亡霊。情熱的な踊りを披露していた美しい娘が、クライマックスで大蛇と化した亡霊の正体を見せる。

女性の希望となった経典

法華経の漢訳としては、三世紀の竺法護による『正法華経』（二八六年訳）、鳩摩羅什による『妙法蓮華経』（四〇六年訳）、闍那崛多と達摩笈多が共訳した『添品妙法蓮華経』（六〇一年訳）がある。このうち、名訳として圧倒的に中国や日本で読誦されてきたのは鳩摩羅什訳の『妙法蓮華経』。序品から普賢菩薩勧発品まで二八品（二八章）の構成になっている。

では、なぜ蛇道に堕ちたふたりを救ったのが法華経だったのか。それは法華経の提婆達多品に、「悪人成仏」と「女人成仏」が説かれているからだ。具体的には、提婆達多の成仏と、竜女の成仏が描かれている。

前者は、釈尊教団の幹部でありながら分派工作をしたあげく釈尊の殺害を企てた提婆達多が、それでも遠い未来世に天王如来となることを約束される話。後者は、男性しか成仏できないとされてきた既成概念を覆して、竜王の娘が皆の前で成仏の現証を見せる話。このふたつのドラマが提婆達多品に描かれている。

多くの大乗経典では、女性は成仏できない穢れた存在だとされてきた。生まれながらにして「おまえは穢れた存在である。死後もなお永遠に幸福にはなれない」と烙印を押された女性たちの絶望は、いかばかりだっただろう。

法華経という経典は、それを覆す思想を説いていた。誰ひとり取り残さず一切衆生に成仏の可能性が開かれている。

成仏というハードルの高い目標をあきらめ、阿羅漢❖8や辟支仏❖9になることをめざしていた「二乗（声聞・縁覚）」も、提婆達多のような許し難い「悪人」も、穢れたものとされてきた「女人」も含め、誰もが成仏できる。

すべての衆生が本来、平等に〝ブッダ〟としての可能性を内在している。その自己の可能性を開くことができれば、誰もが〝ブッダ〟への軌道に入れるという思想。これが法華経だった。

女性も男性と同じように成仏できる――。世の女性たち、とりわけ宮中の女官たちのような教養ある女性たちにとって、これは人生の意味を変える重大なことだった。都ではさまざまな法会がおこなわれたが、なかでも女官たちの関心を集めた重要イベントが「法華八講」だった。『源氏物語』や『更級日記』にも登場する、全部で八巻からなる法華経を、朝夕の二回、全四日で講じるという法会だ。

比叡山天台宗は、こうした法会を開くことで、既存の南都六宗の仏教とは違う「女性の成仏」を可能にする画期的な信仰として、法華経の賞揚に努めた。鎮護国家の仏教は、よりパーソナルな側面も持った信仰へと移行しつつあった。

庶民の心をつかみ関心を促すには、人々の口の端にのぼるくらいの奇譚のほうがいい。文字が読めない民衆の素朴な心を惹きつけ、メッセージを記憶に刻印するためには、物語にエンターテインメント性がいる。

ましてや法華経が説くのは、それまでの既成概念を覆す「万人成仏」の思想。にわかに信じろと言われても信じ難い。その「万人成仏」の重要な柱となる「女人成仏」を庶民に語り聞かせ、確信させるためには、強烈なドラマがほしい。

法華経・提婆達多品でも、竜王の八歳の娘が智積菩薩や釈尊教団の長老・舎利弗たちの目の前で成仏してみせるという筋書きになっている。龍（竜）という畜身の、しかも八歳という年少の、しかも女性。三重にハンデを負った者が男性エリートの前で成仏の現証を見せる。アイロニカルで鮮烈な演出だ。

ただし、『大日本国法華験紀』に採用された道成寺伝説には、まだ謎が残る。なぜ被害者の僧が鐘のなかに隠れるのか。

法華経の功徳をシンプルに語るための話なら、本堂の本尊の前でみずから法華経を読むか、僧たちの読経に授かるほうが自然だろう。あえて鐘のなかに隠れさせ、その鐘もろとも大蛇と化した女が焼き殺すという筋立てになったのはなぜか。

渡辺氏は著書『娘道成寺』のなかで、ひとつの推察を立てている。人々のあいだに鐘そのものを巡る、あるいは女性と鐘を巡る古い神話があったからではないのか。『大日本国法華験記』は、庶民のあいだに知られていた伝承を取り入れた。そして不幸な最期を遂げた男女が、道成寺の僧の読誦する法華経で救われる物語に仕立て直した――と。

女と生まれ、しかも片思いを募らせた相手と不幸な最期を遂げた主人公が、法華経の功力で成仏する。あたかもオリジナルの法華経提婆達多品のなかで、八歳の竜女が成仏してみせたように。スキャンダラスでスリリングな物語に耳目をそばだてていた人々は驚き、そして女性たちは安堵と希望を見出したことだろう。

思えば紀元前後頃に北西インドで成立した法華経が、およそ五百年の時間をかけて遠く日本にまで伝来したのも、思想の卓越さとともに、全体を貫く物語としてのエンターテインメント性がすぐれていたからだ。エンターテインメント性とは、すなわち民衆性にほかならない。

ユーラシアに刻まれた意匠

提婆達多品に登場する竜女。そして「道成寺伝説」の大蛇。興味深いことに「龍―ドラゴン」の意匠は、日本から北欧まで共有されている。

芸術文明史家の鶴岡真弓氏は、映画『ロード・オヴ・ザ・リング』（二〇〇一年公開）の原作がトールキンの『指輪物語』（一九五四年）であり、その『指輪物語』の〝原典〟がスカンジナヴィアの「北欧物語」と、アイルランドやウェールズに伝わる「ケルト神話」であることを指摘している（『ケルトの想像力　歴史・神話・芸術』青土社）。

英雄が巨大なドラゴンと戦う有名な物語、あのゲーム「ドラゴン・クエスト」の物語のルーツもそこにある。

飛鳥時代の六八一年に鋳造された太宰府市・観世音寺の梵鐘（国宝）は、現存する梵鐘としては最古級のもの。この梵鐘の頂には、龍の意匠が施されている。観世音寺は天智天皇の発願で八世紀に建立された（『続日本紀』）。

> ペアの龍は、カーヴを描いて紐をかたどる。各龍は、鐘に向かって吼えるように口を開き、笠形の上面を噛んでいる。頚部の上では、蓮華の上に「宝珠」が型取られ、それを火炎の意匠がかこんでいる。龍の「タテガミ」も渦を巻いて火炎と同じリズムを刻んでいる。
> （鶴岡真弓『ケルトの想像力　歴史・神話・芸術』）

なにより、私たちがよく知っている最古の同様の意匠があると鶴岡氏は指摘する。あの「漢委奴国王」と刻まれた金印（国宝）の頂に刻まれた「蛇紐」だ。龍や蛇は、邪悪なものではなく、むしろ神聖なものなのだ。

一方、観世音寺の梵鐘とほぼ同時代に、アイルランドのダロウ修道院で制作された『ダロウの書』のヨハネ福音書の扉にも、組紐紋様（くみひももんよう）の蛇のような生きものが描かれている。

ケルトの文化圏では、『龍―ドラゴン』は、きわめて暗示的なシンボルとして伝承されてきた。

それは『悪鬼』ではなく、『神』である。（『ケルトの想像力　歴史・神話・芸術』）

「龍―ドラゴン」や「蛇」のシンボリックな意匠は、ユーラシア大陸を貫いている「アニマル・スタイル」の普遍性という美術文明史のカギを握っている。これらを、地理的には遠いが一連でつながっているアイルランドや北欧と中国と日本をむすぶ「生命表象」としてとらえることによって、ユーロ＝アジア文明を「連続性」のもとで見ていく手がかりが得られる。（同）。

このユーラシア大陸の東端と西端に残る「龍―ドラゴン」のルーツとして、鶴岡氏は、ユーラシアの中央に位置するインドの龍神ナーガに言及している。あの法華経提婆達多品に登場する竜女も、サンスクリットでは「サーガラ・ナーガ・ラージャ」（サーガラ竜王）の娘と表記されている。

さて、国立劇場での《娘道成寺》。

渡辺氏は解説のなかで、法華経の功徳を宣揚する宗教テキストだった『大日本国法華験記』の内容が、一二世紀には『今昔物語』に取り込まれて文学として昇華したこと。それが能の《鐘巻》という演劇になり、義太夫節の《日高川》、荻江節の《鐘の岬》という音楽と舞踊、さらに《道成寺縁起絵巻》という美術へと展開していった歴史を紹介した。

かくして法華経から生まれた「道成寺」の物語は数百年にわたり、文学、演劇、音楽、舞踊、美術と多彩なジャンルを横断して、日本文化史における一つの山脈を形成するにいたったのだ——と。

この夜、渡辺氏の言葉を聞いて、私のなかにぼんやりとあったものが、にわかに輪郭を帯びてきたのだった。

註

1——当初、鳩摩羅什訳の『妙法蓮華経』に堤婆達多品はなく、天台の頃に加わったと考えられている。

2——己心を観じること。心を対境として、それを見ていく。仏の所説の教法の相を分別判釈するのが「教相」。これに対し、教相の肝要を己心に感じていく修行を「観心」という。

3——隋朝の正史『隋書』の「東夷伝」に「聞く、海西の菩薩天子、重ねて仏法を興すと。故に遣わして朝拝せしめ、兼ねて沙門数十人、来って仏法を学ぶ」とある。

4——「CINRA.NET」(二〇一四年一〇月九日) https://www.cinra.net/article/interview-201410-watanabetamotu

5——時代や演者によって装束は変わっている。

6——紀伊半島南部にある熊野三山（熊野本宮大社・熊野速玉大社・熊野那智大社）を参詣すること。

7——平安中期、一〇四〇年ころに比叡山の首楞厳院の僧鎮源によって書かれた法華経の効験説話（験記）集。三巻一二九話からなり、うち一〇五話が『今昔物語集』にほとんどそのままの形で再録されている。(『百科事典マイペディア』平凡社から抜粋)

8——サンスクリットのarhatの音写。「世の人の尊敬を受けるに値する者」の意。応供とも訳す。声聞乗における悟りの最高の境地なので、これ以上学ぶべきことがないという「無学」とも言う。死んだのちにふたたび三界に生ずることがない境地。

9——「びゃくしぶつ」とも読む。サンスクリットのpratyeka-buddhaの音写。独覚とも訳す。ひとりで山林などに住して修行し、十二因縁の理を観じてひとりで悟り、それを人々に説くことはない者。

第10章

「風神雷神図」異聞

屏風絵のなかに隠されたもの

謎多き絵師

法華経をモチーフにした歌謡は古事記や万葉集の昔から見られる。勅撰和歌集にも法華経の法門を詠んだ歌が三一〇首あることは以前に触れた。

世界最古の女流文学とされる『源氏物語』は、そもそも法華経を度外視しては成り立たない。それは単に、物語の随所に法華経の言葉や法理が引用されているばかりではない。「光」や「薫」といった人物名に込められた仏教的な意味。さらには『源氏物語』の全体の構成そのものが、法華経の構成を踏まえてつくられているようにさえ見える。❖1

法華経を扱った最初期の美術工芸といえば、やはり《扇面法華経冊子》や《平家納経》になるのだろう。どちらも平安時代後期一二世紀のもので国宝に指定されている。

このうち《平家納経》は、平清盛の発願によって平家の主だった人々が一巻ずつ制作を担当した。法華経二八品と開経である無量義経、結経である観普賢菩薩行法経の計三〇巻。さらに般若心経と阿弥陀経、願文の三巻をあわせた三三巻が、一一六四年に厳島神社に奉納された。

経文を書した料紙はもとより、経意を様々に表す表紙見返の文様や絵画、それらに装着された荘重な金工の題簽と端装、繊細な透彫金具を合わされた水晶の軸首、そして別置される当初の銅製経箱や巻紐に至るまで、美術工芸の粋を極めた平安時代における装飾美の

集大成である。（図録『国宝』京都国立博物館）

この《平家納経》は、奉納から四三八年経った一六〇二年、ある人物の手によって修復される。修復を命じたのは戦国武将の福島正則。福島は豊臣家の家臣だったが関ヶ原の合戦では徳川家康の「東軍」に加わって活躍した。この功績によって家康から現在の広島県にあたる安芸・備後を与えられている。

拝領した地に立つ厳島神社に参拝した福島正則は、この際に《平家納経》を見た。相当な劣化があったのだろう。経巻の修復と新たに経巻を収納する《蔦文様蒔絵唐櫃》の制作を配下に命じている。

このときに「化城喩品」「嘱累品」「願文」の表紙絵と見返絵の補作修復を担当したと推定されているのが京都の絵師・俵屋宗達なのだ。あの本阿弥光悦の作品のなかにも、俵屋宗達が描いたとされる絵に光悦が書を載せたものが多数ある（口絵5）。

静嘉堂文庫美術館が所蔵する国宝《源氏物語関屋澪標図屏風》、米国のフリーア美術館が所蔵する《松島図屏風》、京都・建仁寺が所蔵する国宝《風神雷神図屏風》など、錚々たる作品が宗達作とされている。

先般、丸の内の三菱一号館美術館で開催された「三菱の至宝展」で《源氏物語関屋澪標図屏風》を間近に見たが、その構図と筆致の美しさ、気品にあらためて圧倒された。ちなみに、この屏風の片隅に描かれている一艘の船に魅了され、そこから自身の雅号を「御舟」としたのが速水御舟（一八九四―一九三五）だ。

不思議なことに、これほど偉業を残している俵屋宗達が、生年も没年も正確な住居地も今のところ確定していない。本阿弥光悦とほぼ同時代、一七世紀前半に活躍したことは間違いないとしても、墓所さえ伝承の域を出ないのだ。

本阿弥家の家系図のうち「菅原氏松田本阿弥家図」にのみ「タワラヤ宗達」という名前が登場する。光悦の研究者である高橋伸城は、これが宗達が生きていた時代より一世紀ほどあとの資料であることから、この内容を額面通りに受け取るのは妥当ではないとしつつ、しかし他宗派との婚姻に積極的ではなかった本阿弥家が、法華衆とまったく無縁だった人物の名を系図に書き込むとも思えない[❖2]と述べている。

尾形光琳の秘めごと

誰もが一度はそのビジュアルを見た記憶があるのではないかというほど有名な宗達の《風神雷神図屏風》（口絵10）。どうやら、この作品は納品できない何らかの事情があったのか、制作されたあとも長く宗達とその身内の手許に置かれていたという。のちに臨済宗建仁寺に寄贈されるものの、それは宗達が世を去ってずいぶん年月が経過してからのことだったと推測される。というのも宗達の活躍した時代から半世紀以上も経った一八世紀のはじめに、この《風神雷神図屏風》を秘かに借り受けて模写し、新たな屏風に仕立てて自分の落款(らっかん)・印章をとどめた人物がいるのだ。

それが尾形光琳。光琳は晩年に京都二条新町通に建てた屋敷の絵所に宗達の《風神雷神図屏風》を運び込み、和紙を貼ってこれを模写した。[❖3] この時点では宗達の屏風はまだ建仁寺に渡っていない。つまり世に知られていない。

わずか半世紀あまりのうちに俵屋宗達は人々の記憶から消えていたのだろうか。秘蔵されていた屏風の存在を光琳が知って、借り受けて自宅に運び込むことまでできたのは、おそらく法華衆のネットワークか、実家・雁金屋呉服店の人脈によるものだろう。仮に宗達が本阿弥家の系図にある人物だったとしたら、尾形家とも縁戚関係になる。

> 室町期の水墨画から江戸期の風俗画まで幅広く学んでいた光琳は、ある絵師に私淑しています。およそ一世紀前に活躍した俵屋宗達です。〈風神雷神図屏風〉などの作品に加え、宗達の模写した中世の絵巻まで写し取る徹底ぶりでした。宮中や大寺院で仕事をしていたにもかかわらず、画論などでほとんど言及されることのなかったこの人物を〝発見〟した一人が、光琳だったのです。(高橋伸城『法華衆の芸術』第三文明社)

光琳が必死になって模写し、オリジナルが宗達であることを秘匿した《風神雷神図屏風》は、重要文化財として東京国立博物館に所蔵されている。さらに、今度はこの光琳の屏風を模写したのが酒井抱一（さかいほういつ）（一七六一―一八二八）と、その弟子の鈴木基一（すずききいつ）（一七九六―一八五八）。抱一の《風神雷神図屏風》は出光美術館に、基一の《風神雷神図襖（ふすま）》は東京富士美術館に所蔵されている。

ところで、この俵屋宗達の《風神雷神図屏風》にはいくつかの謎がある。二曲一双の屏風の左隻（させき）には、黒雲に乗って飛び去ろうとする雷神。右隻（うせき）には黒雲に乗って左方向へ進もうとする風神が描かれている。風神と雷神のあいだには金地の余白がひろがっている。ひと目見ただけで心を掴（つか）まれる風神と雷神のユーモラスな風貌と躍動感。

風袋を持つ風神のモチーフは、古代ギリシャや古代ローマに淵源を持つとも言われている。雷神も同じくシルクロード由来。それが仏教に取り入れられて、いつからか千手観音（せんじゅかんのん）の眷属（けんぞく）二十八部衆に含まれるようになった。

宗達はこの風神と雷神を描くにあたって、何を参照したのだろうか。

美術史家の山根有三（やまねゆうぞう）氏（一九一九―二〇〇一）は京都・三十三間堂の二十八部衆立像に付随する「風神像」「雷神像」（鎌倉時代）だとしている。これに対し、美術史、書誌学の専門家である林進氏（一九四五―）は清水寺本堂の「風神像」「雷神像」（江戸初期）にヒントを得たと推測している。

林氏は『宗達絵画の解釈学』（敬文舎）で、三十三間堂では本尊・千手観音坐像の前に、右端に「雷神」、左端に「風神」が安置されており、宗達の屏風とは左右が逆であることを記している。一方、たしかに清水寺では、中尊千手観音の右側に「風神」が、左側に「雷神」が安置されている。

莫高窟壁画との類似性

この『蓮の暗号』は、アカデミアの外にいる者の最大の特権として、自由に想像を膨らませることをテーマにしている。ここからは私の勝手な想像を少しばかり記しておきたい。

かねて不思議に思っていたのは、宗達の時代に寺社に存在していたであろう風神雷神の図像や彫像が、あの屏風のユーモラスな表情や躍動感ある動きとはあまり似ていないことだった。そして、あるとき図録をパラパラと眺めていた私は、これこそモデルだったのではと思わせる図像に気づいた。敦煌莫高窟（とんこうばっこうくつ）の第二四九窟に描かれた風神と雷神（口絵7）だ。

敦煌研究院によってデジタル化された画像がある。この第二四九窟は北魏（ほくぎ）末期から西魏（せいぎ）初期に制作されたというから、日本に仏教が公伝した六世紀半ば頃の壁画になる。

中央に立っている褐色の巨人は阿修羅王（あしゅらおう）。[4] 千手観音とまではいかないが腕が四本ある。その左側に「雷神」、右側に「風神」が描かれている。大海から忉利天までいたる阿修羅の大身を示すため、風神と雷神が描かれているのだ。ほとんど漫画のキャラクターのようなユーモラスな表情と動き。手足の位置などまで宗達の風神雷神図ときわめて似ている。左右の配置も宗達屏風と同じだ。

もちろん宗達が活躍した一七世紀より一世紀も前に、すでに敦煌に通じる嘉峪関(かよくかん)は封鎖され、莫高窟の存在は砂漠の彼方に忘れ去られていた。しかし、莫高窟の風神雷神と宗達の風神雷神の相似性は〝偶然〟なのだろうか。

もしかすると莫高窟の模写絵が長い歳月を経て海を渡り、宗達のもとにたどり着いていたのか。あるいは、法隆寺金堂壁画がそうであったように、先行する画風が中原[5]で確立されていて、それが敦煌にも伝わり、逆に何らかのかたちで日本にまで届いていたのか。

そうだとしても莫高窟第二四九窟と宗達では、一一〇〇年もの時間差がある。これをどう考えればいいのか。どう見てもそっくりな莫高窟と宗達の絵。しかし、ふたつを結びつける合理的な仮説がなかなか思い浮かばない。

とはいえ、あの天才・尾形光琳だって尊敬する宗達の屏風をこっそり模写して、自分のオリジナルであるかのように公表していたのだ。天才絵師・俵屋宗達に何かとてつもないカラクリがあったと想像してみるおもしろさも許されるだろう。

空想のもうひとつは、風神と雷神のあいだの金地の空白の意味だ。他の仏画の構図などとの対比から、以前よりこの空白は神聖な意味を持つのではないかと言われてきた。林進氏も、

> 現在、『風神雷神図屛風』は鑑賞絵画として評価されるが、本来は宗教的意味をもつ作品ではなかったか。屛風の中央二扇の金地空間は一見「天空」であるとともに、「何ものかの存在」を暗示していると考えられる。（『宗達絵画の解釈学』）

と記している。

つまり、この屛風の主題は風神と雷神のようであって、じつは隠された主題が中央の広々としたピラミッド型の金の余白にあるのではないのかというのだ。

では、この《風神雷神図屛風》の中央の空間に、描くことをためらうように秘された主題があるとすれば、それは何なのか。宗達が法華経を理解する環境にいたとすれば、私にはひとつの答が見える気がする。それは、法華経の「見宝塔品（けんほうとうぼん）」に出現した宝塔だ。

史上最大のスペクタクル

法華経は全体がひとつの壮大なシナリオのような構成になっている。

まず、「序品」で、今もインドのビハール州に実在する霊鷲山に大衆が続々と参集し、やがて「方便品」から釈尊の説法がはじまる。ところが「見宝塔品」に至ると、突然、彼らの頭上の宇宙空間に七宝で飾られた巨大な宝塔が出現する。その大きさは地球の半分にもなろうかというスケール。もはや映画「スター・ウォーズ」の上をいく。

そして、この巨大な宝塔のなかから釈尊の法華経の説法を「真実なり」と讃嘆し保証する多宝如来の大音声が聞こえてくるのだ。霊鷲山の衆生たちが呆然とするなか、釈尊は神通力によって浮かびあがる。すると宝塔が開いて多宝如来があらわれ、自分の半座を分かち釈尊を招き入れる。

さらに釈尊は霊鷲山の衆生たちを同じく宇宙空間に引きあげる。今、読者がイメージしやすいように「宇宙空間」と書いたが、経典には「虚空」と記されているように、あえていえばヴァーチャルな空間であって天文学的な宇宙空間とイコールではない。ただ便宜上、宇宙という表現を使っておく。

そこに全宇宙から釈尊の分身の諸仏が来集し、さまざまな神々や眷属、魑魅魍魎までもが集合する。諸仏を迎えるためとスペースを確保するために、「三変土田」といって釈尊は三回にわたって空間を浄化し拡張する。このようにして、宇宙空間で法華経のメインとなる説法がはじまるのだ。おそらく人類史上でこれほどスケールの大きな物語はほかに存在しないだろう。

霊鷲山での説法を「霊鷲山会（りょうじゅせんえ）」と呼ぶのに対し、この宇宙空間での説法は「虚空会（こくうえ）」と呼ばれる。法華経の構成は、最初に霊鷲山会があって途中から虚空会に移り、「薬王菩薩本事品（やくおうぼさつほんじほん）」からまた霊鷲山会に戻る。ふたつの場所で三度の説法がおこなわれるので「二処三会（にしょさんえ）」という。「現実空間（前霊鷲山会）」→「仮想空間（虚空会）」→「現実空間（後霊鷲山会）」という流れになっている。

虚空会で釈尊は、自分の滅後の悪世に誰が法華経を受持して流布するのかと問う。その場にいる菩薩たちがその役目を願い出るが、釈尊はそれを制止する。

そして釈尊が、自分には久遠の過去から教え導いてきた六万恒河沙（ごうがしゃ）という数の菩薩がいるのだと明かすと、下方から立派な姿をした無数の菩薩が涌き出てくる。それは菩薩だというのに、ブッダである釈尊が青二才に見えるほど威厳と神々しさに満ちていた。大地の底から涌き出てきたので「地涌（じゆ）の菩薩」という。

恒河沙とはガンジスの砂の数という意味で、一〇の五二乗を指す。思いがけない地涌の菩薩の登場を見て衆生たちは、師である釈尊は自分たちが考えていたよりも偉大な存在ではないのかと感じはじめる。

ここまでの舞台設定をしたうえで、釈尊は如来寿量品で、自分が久遠の昔からブッダだったのであり、その寿命はこれからも尽きることなく永遠に娑婆世界に常住すると語るのだ。そして方便として自分が滅したあと、悪世で法華経を受持し弘通する者の偉大さと功徳を何重にも語る。滅後の弘通を先ほどの「地涌の菩薩」に託したのち、嘱累品で一切の菩薩にも弘通が委任され、舞台はふたたび霊鷲山に戻る。

そこでは、他民族の信仰の対象である神々が起源だと思われる菩薩が繰り返し登場し、法華経の守護者として位置づけられる。遅れてやってきた普賢菩薩が法華経守護の誓いを立てて去ると、一同は歓喜のうちに散会して物語が終わる。

阿仏房さながら宝塔

日蓮が佐渡に流罪された時期に信徒になった阿仏房という高齢男性がいる。詳細はわからないが、日蓮が遺した書簡を見ると、佐渡在住の人で相応に地元での信頼と影響力があった人物だと思われる。事実、日蓮の滅後も、佐渡での日蓮教団はこの阿仏房の係累を中心にひろがっている。

阿仏房は日蓮を心底から慕っていたのだろう。日蓮が赦免されて鎌倉に戻り、その後、身延に入ったあとも、高齢の身で複数回、佐渡から身延まで足を運び供養を届けている。

日蓮が身延にいた時期だと思われるが、日蓮が阿仏房に送った一通の書簡がある。その書簡を見ると、阿仏房は直前に日蓮から「南無妙法蓮華経」と中央に認められた曼荼羅を本尊としていただき、それについて「多宝如来の宝塔をさしあげた」と説明されたようだ。

阿仏房は供養の品々を日蓮に送り、多宝如来の宝塔は何を意味しているのかと質問した。法華経のメインイベントは、宇宙空間に輝く巨大な宝塔を中心にして繰りひろげられる。阿仏房はそのことを不思議に思ったのだろう。

書簡は、これに対する日蓮の応答である。

> 末法に入って法華経を持つ男女の・すがたより外には宝塔なきなり、若し然れば貴賤上下をえらばず南無妙法蓮華経と・となうるものは我が身宝塔にして我が身又多宝如来なり、妙法蓮華経より外に宝塔なきなり、法華経の題目・宝塔なり宝塔又南無妙法蓮華経なり。
> 今阿仏上人の一身は地水火風空の五大なり、此の五大は題目の五字なり、然れば阿仏房さながら宝塔・宝塔さながら阿仏房・此れより外の才覚無益なり（『阿仏房御書』）

〝あの宝石で飾られた天体ほども巨大な多宝如来の宝塔は、性差も身分も越えて、悪世末法の現実社会に生き、法華経を受持するひとりの人間生命の究極の尊貴さを意味しているのです。同時に宝塔とは南無妙法蓮華経以外のなにものでもないのです。

阿仏房、あなたの生命こそ法華証明の多宝如来であり宝塔なのです。あなたの生命を構成しているのは宇宙を構成している五大であり、それは妙法蓮華経の五字です。何があろうと、わが生命は宝塔なり、わが生命は大宇宙そのもの、妙法蓮華経の当体なりと深く自覚して生きていくことが信仰なのです〟――。日蓮は老人にこのように語ったのだった。

もちろん、俵屋宗達がここまでの日蓮の宝塔観を知っていたかどうかはわからない。しかし、法華衆のネットワークのなかにいたであろう宗達が、あの絶妙な構図の風神雷神図屛風を描いた。そして、それを自らの手許に大切にとどめ置いた。

屛風の中央の金地の空間にこそ主題が隠されているとすれば、それは何らかの法華経の重要なモチーフではないか。そこに宗達自身の信仰に深くかかわるテーマが込められていたと、私には思えてならないのだ。

ダビデの曾祖母

ミケランジェロ・ブオナローティ（一四七五―一五六四）が一五〇四年に完成させた、高さ五一七センチの大理石像。左手に石を詰めた袋を持ち、右足に体重をかけて遠くを見据えるダビデという若者の裸像は、おそらく世界でもっとも有名な彫刻のひとつだろう。

では、このダビデとは何者なのか。彼は『旧約聖書』のサムエル記に登場する。羊飼いだったダビデは、ペリシテ人の巨人ゴリアテを石投げ器で倒したことから頭角をあらわし、やがてイスラエルの二代目の王になった。イエス・キリストはダビデ王の子孫とされている。ミケランジェロの彫像は、青年ダビデがゴリアテに戦いを挑む場面だ。

西洋美術には、画題としてキリストや天使が用いられている宗教画だけでなく、聖書に登場する人物や物語をモチーフにしたものも多い。もちろん私たちがアートを見るときに、そこに含意されたものを知らなくてもまったくかまわない。ただ、作者の込めた意図が少し見えると、そこにはまた豊かな世界がひろがってくる。

ジャン＝フランソワ・ミレー（一八一四―一八七五）はパリからバルビゾンに移住したあと、農民の姿を題材にした作品を数多く制作した。《種まく人》《晩鐘》《落穂拾い》などは、その代表作として知られている。一見、そこに宗教的な要素はないようで、じつは《種まく人》は『新約聖書』のマルコやルカによる福音書を、《落穂拾い》は『旧約聖書』のルツ記を踏まえたものだ。

ルツ記には、夫に先立たれたルツという女性が、再婚相手となるボアズの畑で大麦の落穂を拾う話が描かれている。ルツとボアズのあいだには、オベデという息子が生まれる。ルツ記の最後は、こう記している。

ボアズからオベデが生まれ、オベデからエッサイが生まれ、エッサイからダビデが生ま

れた。（日本聖書協会『聖書　口語訳』一九五五年）

つまり《落穂拾い》のモチーフになっている女性ルツは、ミケランジェロの《ダビデ》の曾祖母ということになる。

ミケランジェロは聖書の英雄を彫ることで、ギリシャ時代さながらの全裸の男性像をフィレンツェのど真ん中に堂々と立ててみせた。ミレーは、落穂を拾って生きる貧しい農村の女性に、聖なるものを見出した。

三草二木の譬え

二〇一五年の秋。京都国立博物館で特別展覧会「琳派誕生四〇〇年記念　琳派　京を彩る」が開催された。

宗達、光琳、抱一の《風神雷神図屏風》の揃い踏み。鶴を描いた宗達の下絵に光悦の筆で和歌を記した全長一三、五六メートルの《鶴下絵三十六歌仙和歌巻》。光琳と乾山の見事な工芸。数世紀にわたる琳派の系譜が〝発祥の地〟である京都で公開される、はじめての本格的な展覧会となった。

書蹟、絵画、陶芸、工芸と見ごたえ十分だった展示のなかで、私がひときわ心惹かれたのが

《雨雲》という銘を持つ本阿弥光悦の黒樂茶碗（口絵6）だった。古くから北三井家に伝わってきた光悦の黒樂茶碗の代表作。重要文化財に指定されている。

轆轤を使わずに手とヘラだけで成形されたどっしりした樂茶碗で、釉薬のかかっているところと地が露出しているところがある。そのかかっていない部分に火間と呼ばれる焼け紋様が斜めの線であらわれているのを、雨に見立てて「雨雲」と名づけたのだろう。たしかに、深い黒雲から驟雨が降り注いでいるかのようだ。

法華経には七つの譬え話が登場する。この《雨雲》を目の前にして、私はほとんど直感的に、これは法華経の薬草喩品に説かれる「三草二木の譬え」だと思った。

三草二木の三草とは、小さな草、中くらいの草、大きな草。二木とは低い木と高い木のこと。つまり、地上にいきづく多様な植物のありようを指している。そこに全世界を覆う大雲が発生し、地上に雨を降らせていく。地上にはさまざまな植物が繁茂しているが、雲はすべての植物に等しく降り注ぐ。

釈尊は言う。

> 迦葉よ。当に知るべし。如来も亦復是の如し、世に出現すること、大雲の起こるが如く大音声を以て、普く世界の天・人・阿修羅に遍ぜること、彼の大雲の、遍く三千大千国土

を覆うが如し。（『法華経』薬草喩品）

法華経は、大乗と小乗の対立を止揚統合した思想だ。地上に多種多様な植物が繁茂しているように、人々の境涯や自覚も多種多様。三草二木の譬えに登場する巨大な大雲の出現は、仏の出現を意味している。地上に等しく降る雨は、仏が放つ法華経の説法の大音声だ。

仏は大雲の如く・説教は大雨の如く・かれたるが如くなる草木を一切衆生に譬えたり

（日蓮『法華経題目抄』）

《雨雲》と銘された茶碗はさながら仏であり、その茶碗から口に注がれる茶は仏の法華経の説法ということになる。

雨季と乾季に分かれる酷暑の土地では、雨は生命を潤すだけでなく、過酷な日ざしを遮り、地上の熱を下げる。しっかりとスコールを降らすのは、淡い白雲ではなく厚い黒雲なのだ。日本のような国土にいると黒雲は不吉なものに思えるが、仏教が生まれた酷暑の国土では黒雲は大宇宙の慈悲の働きそのものとなる。だから黒雲は仏のメタファーになる。

あの宗達の《風神雷神図屛風》でも、よく見ると風神と雷神は黒雲に乗って登場している。

宗達へのオマージュ

日本美術のなかでも、とくに近世になると狩野派の障壁画のほか、国宝だけでも長谷川等伯の《楓図壁貼付》（京都・智積院）、《松林図屏風》（東京国立博物館）、長谷川久蔵[6]の《桜図壁貼付》、尾形光琳の《燕子花図屏風》（根津美術館）、《紅白梅図屏風》（ＭＯＡ美術館）のように、植物を描いた作品が増えてくる。

俵屋宗達と本阿弥光悦の合作と伝えられている《蓮下絵百人一首和歌巻》や《四季花鳥下絵新古今和歌色紙帖》《四季花鳥下絵新古今和歌短冊帖》なども、圧倒的に多様な植物の生き生きとした絵に溢れている。

もちろん、光悦の場合は和歌にまつわる植物が主に描かれているわけだが、それにしても近世の法華衆たちは、なぜこれほど植物を好んで描いたのか。それを考える際、法華衆の彼らが法華経に説かれる「三草二木の譬え」を十分に理解していたことには留意しなければならない。それは当時のハイクラスが共有する教養でもあった。

生き生きと生い茂る草花や樹木は、ビジュアルで美しいだけでなく、生きとし生けるすべてのもの、一切衆生のメタファーなのだ。私がメトロポリタンで最初に光琳の《八橋図屏風》に心を奪われたのは、群生する燕子花が発する圧倒的な生命力に撃たれたからなのかもしれない。

尾形光琳は俵屋宗達に私淑（ししゅく）し、宗達の作品を京都・二条新町の屋敷に運び込んでは熱心に模写に励んでいた。終（つい）の棲家（すみか）となったこの屋敷は、二階に一六畳の広さを持つ天井の高い絵所がつくられていた。しかも、表通りである新町通から見ても、たしかに屋根は高いが二階の存在は目立たないように設計されている。天才・光琳は、この秘密のスタジオで晩年いくつもの傑作を描きあげた。

その絵所で制作されたと考えられている、光琳の代表作である国宝《紅白梅図屛風》（ＭＯＡ美術館）。

二曲一双（にきょくいっそう）の左隻には白梅の老木、右隻には紅梅の若い木。左隻と右隻を合わせると、中央に図案化された水流があらわれる。写実的に描かれた梅の木と、図案化されデフォルメされた水流の組み合わせは、それ自体が革新的であり、光琳の画業の集大成と見なされてきた。

左右隻それぞれに画材が収まり、中央にピラミッド型の空間（紅白梅図の場合は水流）がひろがる構図は、俵屋宗達の《風神雷神図屛風》のそれを踏襲している。

左右の梅の木は写実的に描かれているようで、よく見ると枝のかたちなどが不自然だ。この左右の梅の木のシルエットは、宗達の風神と雷神のシルエットをあきらかに意識しているように思われる。ふたつの屛風を左隻どうし、右隻どうし比べて見ると、その構図が酷似していることがわかる。中央に流れる水流のカーブも、《風神雷神図屛風》の余白がやや右上から左下方向にひろがっていることと一致する。

実際に宗達の《風神雷神図屛風》を秘かに模写して自分の《風神雷神図屛風》をつくりあげた光琳だが、この《紅白梅図屛風》こそ宗達《風神雷神図屛風》への完全なオマージュだったのだろう。

紅白の梅と中央の水流が何を仮託したものかは、これまでもさまざまに議論され想像されてきた。互いを思う男女という見方もある。第1章で述べたように、光琳と彼の最大の支援者であり親密な友人だった中村内蔵助だという説[7]もある。

二仏並座の儀式

宗達の風神雷神や、光琳の紅白梅が、それぞれ何を仮託したものなのか、本当のところは誰にもわからないし、もちろん私にもわからない。

そのうえで、実際にMOA美術館で《紅白梅図屛風》を飽かずに眺めていた私は、ふと、ある連想を抱いた。それは、あの法華経に描かれた虚空会の儀式。宇宙空間に巨大な宝塔があらわれ、釈尊と多宝如来が並座して説法する場面だ。

私は俵屋宗達の《風神雷神図屛風》の中央の金地の余白こそ、あの屛風の真の主題であり、それは法華経の宝塔ではないかと想像した。この法華経の「二仏並座（にぶつびょうざ）」は、古くから仏教伝来ルートで図像化されてきた。たとえば中国・北魏（ほくぎ）時代の《二仏並座像》が、奈良国立博物館や根津美術館にも所蔵されている。

もし《風神雷神図屛風》の余白が宝塔ならば、左右に並ぶ雷神と風神は、並座する釈尊と多宝如来の仮託になるだろう。

此の宝塔の中に如来の全身有す。[8]（『法華経』見宝塔品）

じつは、法華経の見宝塔品にあらわれた宝塔は、遠い過去に東方宝浄世界で法華経を聞いて成仏し、入滅した多宝如来のストゥーパなのだ。ストゥーパとは仏舎利を祀った塔のこと。仏が入滅したあとも、人々はその塔に「如来の全身」を想起してきた。ミャンマーのパゴダも、日本の五重塔も、本来の意味はこのストゥーパである。

多宝如来はすでに入滅しているのだけども、法華経が説かれるところには必ず宝塔とともにあらわれて、その真実を保証するという誓願を立てていた。それで、釈尊の法華経の説法の場に時空を超えてあらわれたのだった。

虚空会で宝塔のなかに並んで座っているのは、現在の仏である釈尊と、過去の仏である多宝如来。そして、そこに十方の世界から釈尊の分身仏が参集した。大地の底から涌き出すのは地涌の菩薩。

虚空会の儀式は、空間的な無限をあらわすために地上ではなく「虚空」という設定がされて十方の諸仏が集い、時間的な永遠をあらわすために過去の仏と現在の仏が出現する。未来の悪世末法の人類のために、地涌の菩薩が出現して、宇宙的な普遍性をもった法の弘通を釈尊から託される儀式。

日蓮は、この虚空会の儀式を借りて、文字曼荼羅本尊をあらわした。

> 此の御本尊全く余所に求る事なかれ・只我れ等衆生の法華経を持ちて南無妙法蓮華経と唱うる胸中の肉団におはしますなり、是を九識心王真如の都とは申すなり、十界具足とは十界一界もかけず一界にあるなり、之に依つて曼陀羅とは申すなり、曼陀羅と云うは天竺の名なり此には輪円具足とも功徳聚とも名くるなり、此の御本尊も只信心の二字にをさまれり以信得入とは是なり。
>
> 日蓮が弟子檀那等・正直捨方便・不受余経一偈と無二に信ずる故によつて・此の御本尊の宝塔の中へ入るべきなり（日蓮『日女御前御返事』）

これは、門下の女性信徒への手紙だ。信心の篤い女性信徒に曼荼羅本尊を授与しながらも、日蓮はその本尊について、自身を離れた〝外なる本尊〟と見てはならないと注意している。十界具足曼荼羅とは生命の全体性であり、題目を唱えるあなたの「胸中の肉団」にこそ、真の御本尊があるのです。外なる本尊を崇めるのではなく、聖職者に依存するのでもない。自身の強い信心によって、内に本尊があると知り、（成仏して後生に霊山浄土へと赴き、そこに常住する宝塔に入るのではあるが）生きながらにして心は霊山浄土に赴いて宝塔に入りなさい――。この文脈には、日蓮の内証（内面の覚り）の境地が示されている。

誰ひとり取り残さない。万人がブッダへの道に入ることができる。この法華経の思想を、日蓮は信仰の対境としての「文字曼荼羅の本尊」をあらわすことで、さらに万人に実践可能なものへと開いた。

本尊＝仏としての境地は内にある。その内なる本尊を日蓮はそのまま曼荼羅として具現化した。そのことによって、曼荼羅を鏡として信ずる者は自身の内なる本尊を覚知することができる。曼荼羅本尊を信じて南無妙法蓮華経の題目を唱えることで、誰もが自身の生命にある尊極の宝塔を開き、ブッダの偉大な生命をわが身にあらわすことができる。

《紅白梅図屛風》では、紅梅と白梅が並んでいる。中央には、はるか遠くから手前へと大きな流れが描かれている。その流れは、あたかも過去から現在、未来へと流れ通う永遠性のようでもある。

もとより牽強付会にこれを日蓮の法門に重ねて解釈するようなことは避けなければならない。なにより光琳は法華衆とはいえ、本阿弥家の人々のような強烈な信仰心の形跡はうかがえない。

けれども光琳は天才であるがゆえに、天才・俵屋宗達に魅了され、憧れ、嫉妬した。その燃え上がるような思いは、宗達の《風神雷神図屛風》に秘められたものを、直観のうちに感じとったのではあるまいか。

一見、まったく異なるものを描いたふたつの屛風の驚くべき相似性を思いながら、想像だけが果てしなくひろがっていく。

註

1――西田禎元『日本文学と『法華経』』論創社

2――高橋伸城『法華衆の芸術』第三文明社

3――林進『宗達絵画の解釈学』敬文舎

4――敦煌研究院が阿修羅王と見なしている（https://zhuanlan.zhihu.com/p/75062817）一方、阿修羅王とは断定できないとする見解（小山満『仏教図像の研究 図像と経典の関係』向陽書房）もある。

5――中原とは中国の華北平原一帯を指す。山東省西部、河北省、河南省、山西省南部、陝西省東部を含む黄河中下流域。古くから文化・経済のもっとも発達した中心地で、ここの主権を握ることが中国の制覇と同じに考えられ「中原に鹿を逐う」という言葉が生まれた。

6――長谷川久蔵（一五六八―一五九三）は長谷川等伯の息子。

7――小林太市郎「光琳と乾山」(『世界の人間像』第七巻／角川書店)。本書の「第1章」を参照。

8――多宝如来の遺骨がストゥーパである宝塔のなかに全部あるということ。法華経では、釈尊の遺骨（現実には分骨されたもの）がそこに納められているという意味を、法華経（法身舎利）という遺骨（全身舎利）で置き換えようとしている。

第11章

北斎「Big Wave」

一瞬のなかにひろがる永遠

一刹那の変化相

「私」の生命と言うとき、その領域の境界線はどこに見出せるのだろうか。「私」と「あなた」とは、どこで分かたれているのか。

冬場の日本の天気予報では「西高東低」の気圧配置が定番になる。シベリアに発生した高気圧から、アリューシャン列島付近の低気圧に向かって風が吹き込む。吹き込む寒気は太平洋の暖気とぶつかり合い、海上に激しいうねりを生じさせる。そのアリューシャン列島近海のうねりは、そのまま一直線に南下し、ハワイ諸島の北岸に大きな波となって到達する。

その結果、オアフ島のノースショアには、一一月から二月頃にかけて六メートルから一〇メートルもの高い波が立ち上がるという。地形と風によって生まれる見事なチューブ（筒状になる波）を求めて、世界中から強者（つわもの）のプロサーファーたちが集まってくる。

地球上に存在する海水の総量は、およそ一四億立方キロメートル。海流、風、地形など、さまざまな条件が複雑に絡み合って、海面上には今この瞬間も、それこそ無数と言っていい大小の波があらわれては消える。

一瞬そこに立ち上がった波は、ある容量の海水の塊（かたまり）として私たちの目に映る。そして、いくばくかの時間ののち、その塊は海のなかに消えていく。けれども、じつはその波頭は一四億立方キロメートルの海水の全体が見せる一刹那（せつな）の変化相なのだ。全体は常に部分として私たちの前にあらわれる。

おんみは　わたしを限りないものになしたもうた――それが　おんみの喜びなのです。
この脆い器を　おんみはいくたびも空にしては、つねに　新たな生命でみたしてくれます。
この小さな葦笛を　おんみは　丘を越え　谷を越えて持ちはこび、その笛で　永遠に新しいメロディーを吹きならしました。（タゴール『ギタンジャリ』森本達雄 訳注／レグルス文庫）

タゴールが『ギタンジャリ』の第一詩で詠いあげた〝おんみ〟は、いわゆる一神教的な創造主ではない。自身を離れた外なる絶対者でもない。
それは今この瞬間も循環を駆動し、創造の手を止めないもの。大海原に波が立ち上がっては消え、また立ち上がるように、「脆い器」をいくたびも「空にしては、つねに新たな生命で満たして」くれるもの。時空を超え、永遠に「新しいメロディー」を吹きならしめるもの。変化し続け、あらゆるものと関係を結び、永遠に続く全体。

不死の門は開かれた

我は常に此の娑婆世界に在って説法教化す。亦た余処の百千万億那由他阿僧祇の国に於いても衆生を導利す。（『法華経』如来寿量品）

法華経が説かれるまで衆生たちは釈尊という存在を、シャカ族の王子として生まれ、修行ののちにマガダ国のガヤの菩提樹下でブッダとして成道した存在と考えていた。

しかし法華経の如来寿量品で釈尊は、自分は菩提樹下でブッダになったのではなく、久遠の昔に仏となり、常に娑婆世界で衆生を説法教化してきたのだと語る。その寿命は今なお尽きることなく、これからも続いていく。

しかも、娑婆世界以外の百千万億那由他阿僧祇という数の国土でも衆生をブッダの道へと導いてきたという。常に娑婆世界に存在しながら、同時に無数の他の国土でも衆生を教化してきたとはどういうことなのか。この一見矛盾した言葉のなかに重大な示唆が含まれている。

ここで釈尊が真の自己として語る「我」＝「永遠の仏」は、衆生の求めに応じてどこにでも今この瞬間にあらわれる。

どこか彼方の特定の浄土ではなく、困難に満ちた現実の娑婆世界の「今、ここ」にあらわれる。釈尊は菩提樹下において、自己の「今、ここ」の生命が本来、その時間的に永遠（時間軸を離れたもの）で空間的に無限の「永遠の仏」「永遠の法」と一体であることに目覚めた。

釈尊の滅後、数百年を経て法華経を編纂した人々は、歴史的人物としての過去の釈尊ではなく、今もここに生き生きと存在し続ける釈尊を見出そうとした。

それは超越者としての釈尊ではない。釈尊が覚知した「永遠の法」、釈尊の生命に輝いた「永遠の仏」。それらは、どんなときも常にここにある。

衆生を度せんが為の故に　方便もて涅槃を現ず　而も実には滅度せず　常に此に住して法を説く（『法華経』如来寿量品）

歴史的人物としての釈尊は方便として入滅したが、「永遠の仏」は「永遠の法」と一体になって「今、ここ」で常住此説法している。今ここの瞬間に永遠（永遠の場である霊山浄土に常住する久遠の仏）が立ちあらわれる。

そのような生命のありようをデフォルトとして見ていけば、困難を抱えた自分自身も、そこにいる他者も、目に映るあらゆるものも、過去の出来事の意味も、また違ったものになり得るだろう。

釈尊は菩提樹下で目覚めたこのような生命感覚を人々に語るべきかどうか熟慮し葛藤した。共有することは至極困難であるし、語ったところで反発や疑念を生ずるだけなら、自分ひとり法楽に浸っているほうが価値的ではないのか。

律蔵[❖1]によると、そこに梵天（ブラフマー）があらわれ、生きとし生けるものに法を語ることを重ねて懇請した。釈尊は法を説くことを決心し、詩句をもって梵天の勧請にこたえた。

「不死の門は開かれた」

ブッダガヤからヴァラナシに向かい、かつての仲間に再会した釈尊は、最初に言う。

「修行者たちよ、不死が得られた」

〝目覚めた人〟である釈尊の生命空間には、変化し続け、あらゆるものと関係を結び、永遠に続く、この宇宙の全体がひろがっていた。生老病死を抱えた人間のまま「真の自己」へと自分を開いていく。その喜びを、釈尊は初転法輪で語った。

「瞬間」と「永遠」

世界でもっとも有名な日本美術は何だろう。

おそらく今日では、葛飾北斎（一七六〇―一八四九）のビッグウェーブ、あの《富嶽三十六景・神奈川沖浪裏》（口絵12）ではないだろうか。神奈川沖が東海道の神奈川宿の沖という意味だとすると、現在の大黒ふ頭、あるいは横浜ベイブリッジのあたり。いずれにしても東京湾のどこかだと思われるが、実際の東京湾でこんな大波はなかなか考えられないので、北斎の己心に生まれた風景なのかもしれない。

それにしても、このデフォルメされた波の絵は、なぜ現代の私たちを魅了し、しかも国境を越えた人々の心にまで響くのだろうか。逆巻く大波と、そこに突き進んでいく人間たち。彼方に見える富士。構図と色彩の妙。数百分の一秒のシャッタースピードで切り取られた一瞬。北斎の画業のなかでも最高峰の代表作とされている。

北斎の真意を想像することはできないが、私はこの《神奈川沖浪裏》のなかに「瞬間」と「永遠」を二重に感じている。

画面いっぱいにうねり、大きく立ち上がって砕けようとする大波は「瞬間」。その彼方には太古から変わらない「永遠」の象徴としての富士山がある。動的なものと静的なもの。

しかし見方を変えれば、静と動は逆転する。海は数十億年の前から存在し続ける。一方の富士山は一〇万年ほど前に生まれた若い活火山であり、現在の円錐形が形成されたのはほんの数千年前に過ぎない。北斎が生まれる半世紀前の一七〇七年、富士山は南東斜面から「宝永の大噴火」を起こし、江戸市中まで火山灰に覆われた。

今の私たちの感覚からすれば画面中央の奥で動かない不動のもののように見える富士山こそ、じつは変化し移ろいゆく存在。一瞬も止まることなく大小の波が生々流転する海こそ、不変なるもの。

この《神奈川沖浪裏》では、その「瞬間」と「永遠」が交錯し包含し合う画面のなかを、人間が勇敢に小舟で進んでいく。波にのまれそうになる、次の瞬間すら予測できない現実との格闘のなかで、挑戦する人間の「今、ここ」に永遠なるものがあらわれている。

北斎もまた、法華経と日蓮を深く信奉していた。日蓮宗の寺院に参詣し、歩くときは知人と会っても気づかないほど熱心に法華経・普賢菩薩勧発品の陀羅尼(だらに)(呪文)を唱えていた。[2]

変化し続けた人

北斎の作品で、私がもうひとつ惹(ひ)かれるのが《富嶽三十六景・凱風快晴(がいふうかいせい)》(口絵13)だ。

画面を三角形に切り取った富士は、裾野が濃い緑で覆われ、やがてグラデーションで赤く染まり、雪の残る山頂付近は濃い茶色になる。背景の空には秋の「イワシ雲」がひろがる。けれども題名の「凱風」は初夏に吹く風。裾野の濃い緑は夏のようにも見える。だが山頂付近に雪が見えるので夏ではない。山肌を染めるのも、朝の光なのか夕日なのかわからない。どこから描かれたのか場所もわからない。

私はこの《凱風快晴》も、意図的に多重の時間を封じ込めた北斎己心の景色ではないかと思う。ひとつの富士のうえに、動いていく時間と、移ろいゆく季節が何層にも重ねられている。

印象派の巨匠ポール・セザンヌ（一八三九‐一九〇六）も同じように、南仏のサント＝ヴィクトワール山を八〇点ほども描いた。セザンヌのサント＝ヴィクトワール山もまた、あらゆる方向からさまざまな画題を併せて描かれている。しかも、稜線（りょうせん）や雲はにじんでいて、そこには時間の変化が封印されているかのようだ。

北斎もセザンヌも、一枚の絵のなかに異なる時間を封じ込めようとした。いや、永遠というものが移ろいゆく「今、ここ」の瞬間のなかにのみあらわれることを知っていたのだ。

ここを離れた、どこか遠くではない。誰もが見慣れた、誰の目にも映っている、「今、ここ」の現実のなかに、宇宙の全体がある。生老病死の困難に満ちた娑婆世界こそ「永遠の仏」が常住此説法する場所であることを、北斎もセザンヌも観じとっていた。

葛飾北斎は瞬時も安閑（あんかん）ととどまることなく〝変化し続けた人〟だった。生涯で三〇回も号を変え、九〇回以上も引っ越しをした。浮世絵、挿絵、漫画と、画風や作風も自在に変えた。七〇代になって開始した「富嶽三十六景」シリーズでは、西洋からもたらされた新しい顔料を躊躇（ちゅうちょ）なく試した。

逝去の前年（一八四八年）、八九歳のときに出版した『画本彩色通（えほんさいしきつう）』には、

九十歳よりは又々画風を改め百才の後にいたりては此道（このみち）を改革せんことをのみねがふ

と、いよいよ新しい自分をつくっていく決意を綴っている。

富士山は一日として同じ表情を見せない。海上に立ち上がった波は瞬時に変化し、生々起滅を繰り返す。北斎にとって、わが生命の「今、ここ」に「永遠の仏」を見ることとは単なる観念ではなかった。

永遠という不動の一点に立ち、自分自身が変化し続け、あらゆるものと関係を結び、挑み続ける。

事実上の遺作となった《富士越龍図》（信州小布施北斎館所蔵）は、真っ白になった富士の稜線から黒い雲が天に向かってうねり、そのなかを龍が上へ上へと昇っていく。

北斎が先の言葉を残してから一五〇年が経った一九九八年。ひとつの千年紀が終わろうとするのを受けて、米国の写真誌『ＬＩＦＥ』が有識者へのアンケートを実施した。

それは「この千年紀で偉業を成した一〇〇人」を選ぶというもの。この一〇〇人のなかに、たったひとり選ばれた日本人がいる。それが葛飾北斎だった。

註

1——仏教の典籍を三蔵（経蔵・律蔵・論蔵）に分けたひとつ。サンガ（僧伽）での規則などをまとめたもの。

2——諏訪春雄『北斎の謎を解く　生活・芸術・信仰』吉川弘文館

第12章

ガジェットの仏陀

受け継がれる〝法華芸術〟

一夜の宗教劇

一九八一年五月一一日。ロンドンのウエスト・エンド[1]で、あるミュージカルが初日を迎えた。人間の配役がひとりもいない。登場するのは、すべて猫というミュージカル「Ｃａｔｓ」。ステージ上にあるのはゴミ捨て場。猫の視線から見たサイズなので、すべてが大きい。そのゴミ捨て場に個性豊かな猫たちが集まって、〝新たないのち〟を与えられる一匹の猫が選ばれるという一夜の劇がはじまる。

作曲はアンドリュー・ロイド・ウェーバー[2]。ニューヨークのブロードウェイでは八二年一〇月七日に、日本では劇団四季によって八三年一一月一一日に初公演された。以来、今日までほとんど途切れなくロングラン公演が続いている。

このミュージカルの原作は、トマス・スターンズ・エリオット（一八八八―一九六五）の詩集『The Old Possum's Book of Practical Cats』（一九三九年）。日本では『キャッツ―ポッサムおじさんの猫とつき合う法』（池田雅之訳／ちくま文庫）など、いくつかのタイトルで邦訳が出されている。

ハーバード大学の神学校を卒業した牧師を祖父に持つエリオットは、自身もハーバード大学に進む。そこでインド哲学や仏教に関心をひろげ、博士課程で哲学を専攻していた一九一三年には、法華経や日蓮に関する英文著作で知られる姉崎正治（あねざきまさはる）の講義にも出席している。

第二次世界大戦中に、七年をかけて紡いだ長篇詩『四つの四重奏』を上梓。彼の作品には非キリスト教的な生命観のあらわれがしばしば指摘され、一九四八年にノーベル文学賞を受賞した。この『四つの四重奏』に、エリオットは独特の生命感覚を記している。

Time present and time past
Are both perhaps present in time future,
And time future contained in time past.
現在の時間と過去の時間も
おそらく未来の時間の中にあって、
未来の時間は過去の時間に含まれている　（徳永暢三『Ｔ・Ｓ・エリオット』清水書院）

What we call the beginning is often the end
And to make an end is to make a beginning.
いわゆる始まりは屢々（しばしば）終わりであり
終わることは始めることである（前掲書）

ミュージカル「Ｃａｔｓ」は各地でロングランを続けながら、じつはその物語が何を意味しているのかよくわからないと言われてきた。しかし『四つの四重奏』には、法華経や日蓮が洞察した生命観に通じるものがたしかに描かれている。

「Ｃａｔｓ」日本公演二五周年の節目に劇団四季からお話をいただいて、私は四季の会報誌『ラ・アルプ』にエリオットの『四つの四重奏』を紹介し、次のように書いた。


私たち人間よりも先に、猫たちは生と死の深い哲理に目覚めていく。「生」と「死」は分け離されるものではなく、あたかも地球の自転がもたらす昼と夜のように、ともに生命の全体が見せる二つの表情なのだ、と。

人生を今世だけの偶然の産物と見れば、それはあまりにも儚(はかな)い。今さえ楽しければいいという刹那的な思いに流されてもしまう。

反対に、この宇宙の昼夜の運行のように生と死が連続していくとみる思想は、人生をまったく別の意味と色彩に染め上げていく。人生の四季のあらゆる風貌も、晴れの日も雨の日も風の日も、一切がかけがえのない瞬間となり、鍛えとなり滋養となっていく。友との出会いも、互いのいのちの深い約束であったと気づいていく。(『ラ・アルプ』二〇〇九年一月号)

『Ｃａｔｓ』は猫という鏡にわが身を映す一夜の寓話(ぐうわ)を装った、とてつもなく深い宗教劇なのだ。

洗面器の宇宙

それぞれのテーブルの上には水の入った洗面器が置かれている。学校の教室のような部屋には三〇人ほどの人々。私は一番うしろの隅の席に座っていた。

合図のあと、全員が自分の好きなように九から一まで声を出してカウントダウンし、一の次は「〇（ゼロ）」を言う代わりに洗面器に顔をつける。そしてまた自分のタイミングで顔をあげると、ふたたび九から一へと声を出してカウントダウンする。

洗面器の水に顔をつけているあいだ、どうやら私だけブクブクと大きな音を立てて息を吐いていたらしい。

「なんだかひとりだけ、ずいぶん大きな音を立ててる人がいるね」

前に立って参加者の様子を見ていた宮島達男（みやじまたつお）[3]が、私を見て愉快そうに笑った。二〇一〇年の夏、都内で開かれた宮島のワークショップでのひとこまだ。

日本を代表する現代美術家である宮島達男（一九五七—）が、この洗面器に顔をつけるパフォーマンスを自らおこない、人々にも体験させるワークショップを世界各地でおこなってきたことは知っていた。

宮島はもともと他者との関係性を重視したパフォーマンスとしての創作をしばしばおこなってきた。ただ、この奇抜とも思える行為にいったいどんな意味があるのか、映像で見ても私にはさっぱり想像がつかなかった。それで、この日は自分でも体験してみようと思ったのだ。

自分から洗面器に顔を突っ込んで、顔をあげて九から一へ声を出してカウントダウンする。ふたたび洗面器に顔を突っ込み、顔をあげてカウントダウン。そしてまた水のなかへ。宮島は、カウントダウンするときに喜怒哀楽それぞれの表情を示したり、数を数えるテンポを速くしたり遅くしたりしてみるように参加者に促した。

すると、しばらくして不思議な感覚が生まれた。最初は水に顔をつけることが不安だったし、もちろん水中で息を吐くのも苦しい。顔をあげると安心する。ところが、ふと気づくと、水のなかに顔をつけているあいだのほうが楽になってきた。水に潜っているのが本来の自分で、洗面器から顔をあげてカウントダウンしているあいだが、まるで別世界に侵入するような感覚に逆転してきたのだ。

この宮島が用意した仕掛けは、「生」と「死」を想像するというものだ。九から一へカウントダウンするあいだが「生」の時間で、水のなかに顔をつけているあいだが「死」。そう説明を受けていたにもかかわらず、なんとなく水に入っている時間のほうが自然なありようのような感覚が生まれてきたのだ。

水のなか、つまり大宇宙に溶け込んでいる自分がむしろ本来の自分。そこから現実世界に飛び出している自分は、なにか仮の姿ではないのか。しかも、そのふたつはずっと連続している。理屈ではなく、そんな感覚が湧いてきた。これはじつに不思議な体験だった。

「三つのコンセプト」

宮島達男は一九八八年のヴェネツィア・ビエンナーレ新人部門に招待され、九から一へと点滅する三〇〇個のＬＥＤガジェットを暗闇に敷き詰めた《Sea of Time》を出品し、一躍、世界的な注目を浴びた。

彼は世界に打って出るにあたり、その前年三〇歳を迎えた一九八七年に、自身の創作の核となる「三つのコンセプト」を言語化している。

それは、変化し続ける
それは、あらゆるものと関係を結ぶ
それは、永遠に続く

変化するデジタルの数字という一見シンプルな表現ながら、今もなお年々に世界からの注目が高まり続けるのは、ひとえにこの秀逸な「三つのコンセプト」によるところが大きいと私は思っている。

デビュー三〇周年の二〇一七年に、宮島は『芸術論』(アートダイバー)を出版し、私はその編集を担当させてもらった。この『芸術論』で、宮島は自身の創作の哲学的基盤が大乗仏教、なかんずく法華経の生命観にあることを記している。

宮島達男の天才性は、難解で複雑な概念をきわめてシンプルで平易な言葉に変換する能力にある。

釈尊がガヤの菩提樹下で覚知し、なんとか人々に伝えようと五〇年間語り、行動し続けたものの本質。それから数百年を経て、法華経の編纂者たちが、これが世界に伝えるべき釈尊の思想の精髄だと考えて、壮大な対話劇として描いたものの本質。鳩摩羅什(くまらじゅう)が漢訳し、智顗(ちぎ)、最澄(さいちょう)、あるいは日蓮といった巨人たちが、そこから見出したものの本質。

これを宮島達男は「三つのコンセプト」のわずか三行の言葉として、見事に変換してみせた。

そこには一見、仏教的なものは片鱗さえ見えず、むしろ力強い普遍性と磁力を持っている。私はこの一点だけで、宮島達男というアーティストの名は五〇〇年、一〇〇〇年の先まで歳月とともに輝き続けると確信しているのだ。

ただし、宮島は仏教をアートとして表現しようとしているわけではない。

私の理解では、あくまでも宮島は「人間の可能性」についての思索を人々と共有しようとしている。法華経という人類の英知は、そのための揺るぎない〝足場〟に過ぎない。

宮島が「ブッダ」と呼ぶとき、それは歴史上の人格や信仰の対象ではなく、すべての人間が持つ可能性を指し示している。強固な宗教的英知を足場としながら、すぐれた普遍性を持つことで、外形的にはけっして宗教や宗派性を感じさせないし、強要しない。これは、とりわけ近世以来の法華美術の系譜にも共通している。変化する数字というシンプルで普遍的な表現を用いながら、宮島達男のアートは日本の文化芸術史の嫡流にあると言ってもいい。

究極の実在

私の大切な友人であり、ともにＢＵＮＢＯＵを立ち上げたひとりでもある高橋伸城は、『法華衆の芸術』（第三文明社）で近世から近代の日本美術史に法華衆の「信仰と造形」を浮かび上がらせようと試みた。

この本に収録された高橋との対談で、宮島は〝法華芸術〟の本質を明快に語っている。

等伯にしても宗達にしても、法華衆の芸術は今ある現実を徹底的に肯定して描いています。どこか別の世界にある理想郷ではないのです。

私はこうした法華衆の作品を〝現代美術〟だと思っています。彼らは自分たちが生きている現実の只中で格闘して、新しいアイデアとビジョンを打ち立てた。これは当時としてはもちろん、今に置き換えても画期的な出来事だといえます。

法華衆の作品の多くは他者の視点を考えながら作られているので、異なる文化圏の人たちにも受け入れられる。咀嚼（そしゃく）して引用できるわけです。外に開かれた芸術は、世界各地の文化と結び付いて多彩に展開していくと予想されます。そうなると、日本で生まれる法華衆の芸術と、アメリカやインドで生まれる法華衆の芸術が、違う様相を見せる可能性もあります。でも、それでいいんです。

事実、幕末から明治にかけて、西洋を驚かし「ジャポニズム」の一大潮流をつくるきっかけとなったのは、法華衆である歌川国芳（うたがわくによし）や葛飾北斎の浮世絵であり、琳派のデザイン性だった。明るく、軽やかで、草花や昆虫など目の前の小さな生命をあるがままに讃（たた）えて描く法華衆の絵師たちのまなざしは、モネやドガ、ゴッホらに大きな影響を与え、やがてアール・ヌーヴォーにもつながっていく。

宮島芸術の初期の代表作である《三十万年の時計》（一九八七）は、一四ケタあるデジタル時計が一秒ずつ時を刻んでいる。宮島は、これが「永遠」を表現したものであると同時に、この作品で見ようとしたものは刻々と変わっていく「今」なのだと語っている。[4]

生命というものは本来、死によってすら断絶することなく永遠に続くのだが、だとしてもそれは常に「今」という瞬間瞬間にしか実在しない。

「今」を離れて、「永遠」というものがどこかにあるのではない。

そして、人は「永遠」を凝縮して「今」を生きることができる。

「今」をどう捉え、どう生きるかで、未来は変化し、過去の意味さえ変わっていく。

世界が未知のウィルスに覆われていた二〇二〇年の秋。千葉市美術館が開館二五周年記念として「宮島達男クロニクル一九九五―二〇二〇」を開催した。

私がとくに心惹かれたのが《Innumerable Life/Buddha MMD-03》と題された作品（口絵14）だった。赤く輝く四角形は、異なる周期で九から一への点滅を繰り返すデジタルガジェットが二五〇〇個集まったものだ。その作品が「無数の生命／ブッダ（Innumerable Life/Buddha）」と名づけられている。

無数の生命が一個の全体を織りなしている。

個々のガジェットが生と死のサイクルを持つ単独の生命でもあり、しかし織りなされた全体もまたひとつの生命のように見える。個々のガジェットには光が消える瞬間があるが、全体は常に輝いている。生死流転を繰り返す個々の変化が、全体の永遠性を織りなす。

億劫の辛労を尽くす

「一瞬」のなかに「永遠」を見る。「部分」のなかに「全体」を見る。

宮島達男は著書『芸術論』で、ウィリアム・ブレイク[5]の詩を援用して、この透徹した生命観を読者と共有しようとした。

一粒の砂にも世界を
一輪の野の花にも天国を見、
君の掌のうちに無限を
一時のうちに永遠を握る。（『対訳ブレイク詩集』松島正一編／岩波文庫）

宮島は二五〇〇個のＬＥＤガジェットを使って、この生命観を赤く輝く一個のスクエアにした。難解な解釈など必要なく、誰もが美しいと感じ、惹かれ、顔を近づけたり遠くから眺めたりする。これは宮島アートに共通する姿勢だ。

しかし、私は「Innumerable Life/Buddha（無数の生命／ブッダ）」という絶妙なタイトルに、どこまでもひとりの人間に、無上の尊貴さ、無限の可能性、世界をも変えていく基軸を見出そうとする、宮島の思想の卓抜さを見る思いがする。

「永遠」や「全体」のほうにのみ価値が引きずられてしまうと、途端に手ざわりのない抽象的な観念になってしまう。昭和の戦争に日本の仏教界の大勢が加担したように、下手をすると人間生命を手段化し、ファシズムやテロリズムに悪用されかねない。

今ここの「一瞬」、自分という人間、目の前のひとりの人間という「部分」のうえに、永遠なるもの、全一（ぜんいつ）なるものを見ようとするとき、それは運命を切り開き平和を創造する、現実変革の思想になり得るのだと思う。

> 一念に億劫（おくごう）の辛労を尽せば本来無作（むさ）の三身（さんじん）念念に起るなり所謂（いわゆる）南無妙法蓮華経は精進行なり（日蓮『御義口伝』）

「億劫」とは、果てしなく長い時間という意味。運命の挑戦に対し、この一瞬が長大な時間に匹敵するほどの全力の辛労を尽くして応戦する。その生命の営みのなかにのみ、「真の自己」の生命力と調和の智慧が開かれてくる。生命は困難と格闘するときに、はじめて生命としての本来の力を発揮する。

その格闘を避けて、あるいは社会の不条理を容認して、〝あらゆるものは仏の当体だから、今のままでいいのだ〟と語ることは、かえって人間の尊厳を否定する魔性の論理になってしまう。

太陽と蓮華

宮島はまた、この二五〇〇個のガジェットで構成された《Innumerable Life/Buddha MMD-03》の着想を、法華経に説かれる「地涌(じゆ)の菩薩」から得たと語っている。

釈尊滅後の悪世に誰が法華経の思想を人類に流布(るふ)するのか。釈尊の問いに対して、法華経の従地涌出品(じゅうじゆじゅっぽん)で、はるか大地の深淵から無数の菩薩が出現して流布を誓願する。法華経は、地涌の菩薩を次のように描写している。

日月の光明の能(よ)く諸の幽冥(ゆみょう)を除くが如く　斯(こ)の人は世間に行じて能く衆生の闇を滅し（神力品(じんりきほん)）

善(よ)く菩薩の道を学して世間の法に染まらざること　蓮華の水に在(あ)るが如し（従地涌出品）

太陽の光が一切の闇を払っていくように、現実社会の只中で行動して衆生の闇を払う。しかし、どこまでも求道者として自身も向上の坂を上り、世間の泥沼のなかにあって泥に染まることのない清浄な生命は、泥に咲く蓮華のようである——と。

太陽と蓮華。日蓮は自身の名に、このふたつを冠した。法華経に説かれたとおりの命におよぶ迫害を呼び起こして、それらを勝ち越えた日蓮は、流刑地の佐渡で宣言している。

地涌の菩薩のさきがけ日蓮一人なり（『諸法実相抄』）

そして弟子門下に対しても、自分と同じ自覚で生きぬいてあとに続けと呼びかけた。

いかにも今度・信心をいたして法華経の行者にてとをり、日蓮が一門となりとをし給うべし、日蓮と同意ならば地涌の菩薩たらんか（同）

地涌の菩薩たちが涌き出てきたその〝大地〟とはどこなのか。天台大師・智顗は『法華文句』にその場所を「法性（ほっしょう）の淵底（えんでい）・玄宗（げんしゅう）の極地（ごくじ）」と記している。端的に言えば存在の根源であり、覚りの極致。あくまでも困難の多い現実世界の人生を引き受けながら、自己変革への間断なき向上と慈悲の行動に挑戦する菩薩群としてあらわれる。業（ごう）深い者が、いつの日か修行の果てに浄化されてブッダの境地に至るのではない。

本来ブッダの生命を内在した者が、あえて泥沼の娑婆世界に、願って舞台設定としての宿業をつくり出して生を受け、そこで本来の清浄で力強い生命力を開花させ、人間の可能性を証明していく。

法華経は単に万人のなかに仏性を見ているだけではない。万人に対して「救いを請う側」から「自他を救う側」へと、自覚と行動の変容を促している。

智顗は、観念観法（かんねんかんぽう）という瞑想修行によって心を見つめ、仏性を観じることを説いた。ただし、これは実践するには相当にハードルが高い。対して日蓮は、誰もが仏性を呼び起こせる具体的方途として題目と本尊をあらわし、全世界の民衆に扉を開いた。仏性を呼び起こすカギとなるのは「信」となる。そして門下に対しては自分と同じ「実践者」（法華経の行者）であれと呼びかけた。

法華経と日蓮に一貫するのは、宗教と人間、仏と人間の倒錯した関係性の〝再逆転〟だと思う。宗教は、素朴に幸福を願う一個の人間の祈りによってはじまった。ところがいつしか制度化され、宗教の権威に人間が手段化されひれ伏すようになった。法華経も日蓮も、それを巻き返すレボリューション（革命）を起こした。

そしてふたたび、人間の幸福のためという一点へ宗教を成熟させていく。人間を離れた仏に救われるのではなく、人間自身のなかに全一なるものを見出し、それを開いていく。大地から重力に逆らって涌き出る菩薩たちは、自他の尊厳と可能性に目覚めた民衆の姿にも思える。それはまた、法華経編纂者たちの自覚と自負でもあったのだろう。

宮島にとって〝地涌の菩薩〟とは、すべての人間の可能性の究極のイメージなのかもしれない。赤々としたガジェットの光は、その横溢（おういつ）する生命力をあらわすかのようだ。

ART in YOU

職業としての芸術家は、ほんの一握りの存在かもしれません。けれども、アート（美）というものは彼らや、彼らの作品の中だけにあるのではなく、万人の生命の中にあります。本来、すべての人の中にアート（美）があり、それを呼びさます力があるからこそ、作品（美）も成り立つのだと私は思っています。（宮島達男編『アーティストになれる人、なれない人』マガジンハウス）

宮島達男は「ART in YOU」という概念を提唱してきた。美というものは人間を離れては存在し得ない。このことを宮島は、二〇一〇年に刊行した『宮島達男解体新書すべては人間の存在のために』（Akio Nagasawa Publishing）の冒頭でも、アインシュタインとタゴールの対話を通して語っている。

アーティストという〝神の代理人〟を介して、外なる「美」に人間がぬかずくのではない。あらゆる人のうちに本来「美」がそなわっている。だから人は何かを美しいと感じられる。アートをアートたらしめているのは、万人の側なのである。ここに法華経における仏と人間の関係性が、見事にアートと人間の関係性へと転換され敷衍されている。

『芸術論』では、この「ART in YOU」について、ふたつの視点が示されているように思う。

ひとつは、この概念が法華経の生命観の極理である十界互具論[6]に支えられていること。《Innumerable Life/Buddha MMD-03》に即していえば、九から一へ変化して止まない小さなガジェットが、じつは巨大な作品の全体を織りなしている。

> 九界即仏界であり、仏界即九界です。〝常ならざる〟と見えていたものが、じつは、〝常なる〟ものがベースにあり、逆に言えば〝常なる〟ものは、〝常ならざる〟ものとしてしか現れてはこない。（宮島達男『芸術論』アートダイバー）

誰しものうちに「美」がそなわっている。すぐれたアートは、そうと意識するしないにかかわらず、私たちの生命の全体性を回復させるものとして働く。

人は、他者と出会い、他者という鏡に映すことで、自己を見ることができる。他者の生きる姿に敬意を払っていく中で、自分の可能性を信じることができるのです。（『芸術論』）

宮島がもうひとつ語っているのは、どうなれば「ART in YOU」が単なるイデア（理）からアクション（事）へと動き出すかだ。「永遠」を考えることは、結局「今」という一瞬を考えることになると述べている。

遠い未来ではなく、「今、どう生きるのか?」「今、目の前にいる人とどう接していくのか?」「今、目の前にある事象とどう向き合うのか?」それを見つめ、考えるのです。（『芸術論』）

私たちの生命も、世界も、常に今ここの瞬間にしか存在しない。それを私たちは奇跡のように分かち合っている。その誰しもが本来、宇宙の全体の表出なのだ。誰しものうちに「美」がある。だからこそ、「今、ここ」に引き寄せて、「ART in YOU」という視点で自分の生き方、他者とのかかわり方、社会にある課題を考えなければならない。

概念としてのイデアがアクションとしての価値創造へと開いたとき、

人々の生きる姿勢を変え、世界を見るまなざしを動かし、例えば震災で傷ついた人々や土地の蘇生、紛争の解決、核兵器の廃絶といったような平和の問題にも、観念ではなく行動に即して考えていくことが可能になるのではないでしょうか。(『芸術論』)

と宮島は語っている。

宮島がアトリエに籠(こも)って創作することだけをよしとせず、「柿の木プロジェクト」[7]のようなアートによる核廃絶への取り組みを一九九〇年代半ばから続けてきたこと。九から一まで自分の任意のリズムで数えたあと、洗面器の液体に顔をつけ、また顔を上げて九から一のカウントを繰り返す〈Counter Voice〉というパフォーマンスの共有を、一貫して国内外各地のワークショップで続けていること。

現役のアーティストでありながら大学で教える「教育の一〇年」という道をあえて選んだこと。

東日本大震災のあと、六本木のテレビ朝日本社の壁に設置された《Counter Void》を消灯し、「三・一一」から三日間だけ点灯するRelight Projectを二〇一六年より実施してきたこと。

これらすべては、万人の「ART in YOU」を信じるからであり、アーティストとしての宮島の創作と分かちがたく結びついていることが想像できる。

「不確実性」の創造力

二〇二〇年一一月、東京・谷中にあるギャラリーSCAI THE BATHHOUSEで、宮島達男の個展「Uncertain」がはじまった。

個展のタイトルが示すテーマは〝不確実性〟。どのような経緯でこのテーマを選んだのかと会場で本人に聞くと、これは以前から決めていたもので、やはり大きなきっかけは東日本大震災であり、その後も毎年のように続く自然災害だという。

壁に据えられた大小の数字（口絵15）。よく見ると壁際の床に、子どもの頃に駄菓子屋で見たような小さな箱が置かれている。なかには、〇から九までの数字が刻まれた奇妙な多面体のサイコロが入っている。「どうぞ振ってみてください」と勧められて、「八」の作品にあったサイコロを私が振ると「六」が出た。

壁面のセグメントを〝人力〟で着け外しする仕掛けを見せてもらって、そういえば宮島達男は大工の息子なのだったと思い出した。

素材は何なのですかと聞くと、「キャンバスなんです」。立体造形に見えるが、これは《Painting of Change》と題された〝絵画〟シリーズだ。

「不変」であることを追求する西洋絵画の歴史に対し、宮島はサイコロの目という偶然性に委ねて絵画の土台そのものから「可変」にすることを試みた。

宮島の個展はパンデミックのなかでも、これまでソウルやヴォルフスブルク（ドイツ）、ベルリン、ロンドンで開催されている。

私たちの生命は、絶え間なく「分解」と「合成」をくりかえす現象そのものである。私たちは何かを食べ続けずには生存できないが、それは他の生命を分解して合成し直す営みなのだ。じつはそのようにして、三七億年間の「分解」と「合成」の食物連鎖の流れのなかに、今この瞬間の私たちの生命の平衡が保たれている。

ここにすでに、宮島達男の「三つのコンセプト」

それは、変化し続ける
それは、あらゆるものと関係を結ぶ
それは、永遠に続く

が、私やあなたの存在のうえにも体現されていることに気づくだろう。

「不確実性」は、生命にとって常に災厄であると同時に、最大の福音（ふくいん）でもある。環境との関係の不安定こそが、生命に進化を要請する。生命自身が内在している可能性という意味の「不確実性」は、生存を脅かす外なる「不確実性」を縁（えん）として発動する。

生命は本来、サイコロがどう転がるかわからないような環境のなかで、しかも個体としては秩序の崩壊へ向かう「エントロピー増大の法則」に抗しながら存在している。それゆえに環境の変化に適応でき、また自分の傷を癒すことができる。

サスティナブルは、動きながら常に分解と再生を繰り返し、自分を作り替えている。

このように考えると、サスティナブルであることとは、何かを物質的・制度的に保存したり、死守したりすることではないのがおのずと知れる。

サスティナブルなものは、一見、不変のように見えて、実は常に動きながら平衡を保ち、かつわずかながら変化し続けている。（福岡伸一『新版 動的平衡　生命はなぜそこに宿るのか』小学館新書）

七〇〇年前の一四世紀、ヨーロッパはペストに覆われ「死を記憶せよ（メメント・モリ）」が芸術の分野にもあらわれた。

一二六〇年に執筆された日蓮の立正安国論の冒頭は、三年前に起きた正嘉（しょうか）の大地震で死屍累々（ししるいるい）となった鎌倉の惨状の描写からはじまっている。国家も都市も制度も人の命も不確実性に満ちていることを確認したうえで、その現実社会をどう変革し、人間の幸福を創造していくのかという議論を提起した。

日本のメンタリティには、『平家物語』や『徒然草』のように「無常」という不確実性を諦観視する習性がある。そこには潔さだけでなく、どこかネガティヴな儚さが漂う。

しかし、宮島は『芸術論』のなかでもこの「諸行無常」の解釈に触れ、「とかく無意識にものごとを静的に、固定的にとらえがちなところを、動的に見ていく。一様性の奥に多様性を見る」と、まったく別の視点を示している。

「諸行無常」とは本来、「万物は突進する」とタゴールが讃えた生命のダイナミズムだ。きのうまでの安定を揺るがし、明日が見定めにくい「不確実性」は、私たちにとって往々にして〝災厄〟として立ちあらわれる。けれども、「不確実性」は生命が本来持っている律動であり、自在性であり創造性そのものでもある。人間には、どんな災厄も必ず価値へと転じていく力がある。サイコロの目に従って数字を構成するセグメントが取り外されても、それは消えるのではなく整然と床に置かれている。〇が出て、壁からすべてのセグメントが外されても、それらはひとつも欠けることなく床に並べられ、次のサイコロの目に従って、また何らかの数字になるのだ。

それは、私たちの前から姿を消してしまった大切な誰かにも重なる。私もあなたも、いつか必ず「〇」の目が出てすべてのセグメントを外される日を迎える。

けれども、セグメントは常にここにある。

註

1――ロンドンの地域名。金融街シティの西側。パレス・シアターなど劇場が集中する一帯は「ウエスト・エンド・シアター」と呼ばれ、ニューヨークのブロードウェイと並ぶ興業の世界的中心地。

2――Andrew Lloyd Webber（一九四八―）はミュージカル界の著名な作曲家。ロンドン生まれ。主な作品に『ジーザス・クライスト・スーパースター』『エビータ』『オペラ座の怪人』『オズの魔法使い』など。

3――宮島達男（一九五七―）は日本を代表する現代美術家。一九八六年、東京藝術大学大学院修了。八八年にヴェネツィア・ビエンナーレ新人部門に招待され、デジタル数字を用いた作品で国際的に注目を集める。世界三〇カ国二五〇カ所以上で作品を発表。ロンドン芸術大学名誉博士。東北芸術工科大学副学長、京都造形芸術大学（現・京都芸術大学）副学長などを歴任。代表作に《メガ・デス》など。

4――宮島達男『芸術論』アートダイバー

5――William Blake（一七五七―一八二七）は英国の詩人・画家。その作品は現代のアーティストやミュージシャンらにも大きな影響を与え続けている。

6――〈日蓮は、法華経の十界互具の論理によって成仏論を展開している〉〈天台の教説によると、この十界は衆生の行動や因縁によって現れるが、固定した実体がないから互いに相即し合い、各界は性得として他の九界を具えている。ゆえに悟りの仏界とは、自分から離れて存在するわけではない〉ジャクリーン・ストーン「日蓮と法華経」福岡日雙訳（『シリーズ日蓮1　法華経と日蓮』春秋社）

7――「時の蘇生　柿の木プロジェクト」。長崎の原爆で焼けながらも生き残った柿の木を長崎に住む樹木医の海老沼正幸が治療し、「被爆柿の木二世」の苗木を生み出すまでに回復させた。それを知った宮島達男が「時の蘇生・柿の木プロジェクト」実行委員会を立ち上げ、「被爆柿の木二世」の苗木を植樹する里親を世界中から募集し、「平和へのメッセージ」を発信する参加型アートとしてのプロジェクトとして国内外で継続している。

千年紀への曙光——エピローグ

色がついているはずなのに、目に映った景色の記憶はモノクロでしかない。ガレキを積んだダンプカーとすれ違うたびに、砂埃が舞い上がる。腐敗した魚の臭いと化学物質の臭いの入り混じった空気が鼻腔を突く。

二〇一一年三月にマグニチュード九・〇の東日本大震災が起きたあと、四月から六月にかけて、私は取材のために延べ何十日も被災地を訪れた。北は岩手県の田老から南は福島県のいわきまで、原発事故で立ち入り禁止になったエリアのほかは、海岸線のほぼすべてを回った。どこを歩いても、傍らに自衛隊員や警察官が遺体の捜索をしている光景があった。

あまりにも巨大な「破壊」。東京から取材者という立場で赴くだけでも、心身へのダメージは大きかった。当事者にとって、どれほど厳しいものかと思った。

七月半ば、震災支援に動いてくれたタイへ取材に行ったあと、九月と一〇月のほとんどは、自身のリカバリーを図るように、台湾、中国、そしてふたたびタイを回って取材や講演の日々を過ごした。そして、一二月にはまた岩手の被災地を回った。

被災地にとって真の復興とは何だろうか。おそらくそれは長い時間を要するだろうが、この地に豊かな「文化」がふたたび、あるいは新しく、花開いていくことしかないだろうという気がした。

一方で、台湾でも中国でもタイでも、人々は経済発展で自信を深めると同時に、「文化」の重要性を強く自覚しはじめていることを感じた。

自分たちは何者なのか。アイデンティティを確かめるうえでも、他者と交流していくうえでも、自分たちの「文化」を掘り起こし磨き出さなければならない。

他者との相違を際立たせること。自身のかけがえのなさを発見すること。その固有の文化が、多様な他者を包摂してきたなかから醸成された歴史を知ること。

そして、台湾でも中国でもタイでも、とりわけ若い人々は三者三様に日本という国に関心を強く持っていた。

広義では自分たちと同じ文化圏でありながら、あきらかに独特な日本。ある人はアニメーションの奥に日本の想像力や几帳面な暮らしを思い、ある人はミニマムでありながら丁寧なデザインに敬意を抱いていた。ある人は裏原宿のショップの空気を愛し、ある人は西陣織のゴージャスに憧れ、ある人は仕事場の書架に剣道の防具の面を飾っていた。

彼ら彼女らの強い好奇心は、やがて日本の文化のもっと深いところを知りたくなるだろう。しかし日本の人々は、はたしてそれに応えることができるのだろうか。日本の私たちは、どこまで自分たちの深部を理解しているのだろうか。

二〇一一年という忘れがたい年を通して、私はそのことを考えさせられた。

自分たちの深部には何があるのだろうか。そこに滔々と流れているのに、豊かに咲き誇っているのに、見落としている何かがあるのではないか。目の前にそびえているのに、見慣れ過ぎている巨大な山脈があるのではないか。解読できないために気づかずにいる符丁のようなものがあるのではないか。

そんなことを考えるたびに、ぼんやりといつも脳裏に浮かぶのはメトロポリタン美術館で出あった《八橋図屏風》だった。意識こそしなかったが、もしかしたら、あの屏風とはじめて対面した平成の最初の年から、私はどこかで暗号を解読したいと思い続けてきたのかもしれない。

本書に記したとおり、この一〇年余、好奇心の赴くままに、あるいは運命に導かれるように、さまざまな人と出会い、旅をし、私は自分の深部を覗き込んできた。言ってみれば本書は、私の精神史のささやかな記録でもある。

新渡戸稲造は西洋の人々から日本には宗教的教育がないのかと問われて、一九〇〇年に『Bushido: The Soul of Japan』を米国で出版した。同書は櫻井鷗村の翻訳で『武士道』として一九〇八年に日本でも出されている。鈴木大拙は一九五〇年、八〇歳になってニューヨークに移り住み、コロンビア大学などで禅について語った。

日本文化の底流に何を見出すか。答はひとつではないし、見る人の自由でもある。しばしば語られる「武士道」も「禅」も「神道」「侘び寂び」「縄文」「アニミズム」も、すべて正解と言えば正解だろう。それらを否定するつもりは毛頭ない。さらに細かい要素を挙げればきりがない。文化は多様なものが影響し合ってつくられていくものだ。

そのうえでなお、見落とされがちだった重要なカギとして、一五〇〇年ものあいだ日本を貫いてきた「法華」に目を配っておくことは必要ではないのか。これが本書で語りたかったことだ。

ではその「法華」とは何なのか。どのようにして日本に受容されてきたのか。なぜ、文学、演劇、音楽、舞踊、茶、美術工芸とジャンルを横断して強い影響を与えたのか。なぜ、あからさまに姿を見せないのか。

あくまで素人の手の届く範囲で、自分なりにそこを考えてみたいと思った。もちろん最初の読者は日本の人々にはなるが、私は心のどこかで、この一〇年のあいだに訪れたタイや台湾、中国、インドなど世界の未来の若い人々に宛てて、文章を綴っていたような気がする。

この一〇年間はまた、仕事を通して現代美術家・宮島達男さんの思想を深く学んだ時間でもあった。なぜ世界が宮島さんの作品に関心を強め、高く評価するのか。それを考えていくうちに、法華思想は過去のものではなく、むしろ現在進行形で日本のアートと文化を貫き、かつて近世法華衆たちの作品が西洋に衝撃を与えたように、世界に共感と驚きをひろげつつあることを確信した。

『芸術論』で宮島さんは、「弱い芸術」と「強い芸術」に言及している。状況が整ったなかでしか働かないアートと、状況が崩れ去ったあともなお生き残るアート。「強い芸術」とは、たとえば「敦煌」「システィーナの礼拝堂」「ロスコ・チャペル」のように、

異文化で、言語がわからない私であっても、感じざるを得ないような圧倒的表現。言い訳を言わない、共通のコンテクストが必要ない芸術。(『芸術論』)

パンデミック下でも各国で宮島さんの個展が開催されたのは(本来はもっと多くの展覧会が予定されていたが)、それが「強い芸術」だからであろう。

禅でも神道でも武士道でもないニッポン。常に他者へと開かれ、軽々と国境や文化を越えて受容されていくニッポン。非日常にトリップする「美」ではなく、徹底して日常のなかに、社会の現実に見出そうとされる「美」。生と死を見つめ、生命の深淵へと思考を誘い、困難を超克し対立を転換していく「美」。

一五〇〇年ものあいだ、日本の深部で受け継がれてきたもの。それはむしろこれからの新たな千年紀を潤す水脈となり、人類を照らす曙光になっていくと私は信じている。

あとがき

物置にしまい込んでいる小さな箱がある。子どもの頃の〝たからもの〟を大事に保管してある紙箱だ。といっても、もちろん他人からすればどうというほどのものでもない。

小学校一年生の夏休みに自由研究でつくったアポロ一一号の月面着陸の記録絵日記。小学校二年生のときに学習ノートに綴った創作物語のようなもの。一九七〇年の大阪万博の記念品。まだ幼稚園の頃に、あやしい平仮名で単身赴任先の父親に宛てたハガキ。生まれたばかりの五歳違いの妹に宛てた詩のような数行の言葉。

喘息持ちで病弱だったことと、母親が書くことの好きな人だった影響もあって、箱の中味には文字で書かれたものが多い。

そのなかに、やはり小学校にあがる前後に書かれたとおぼしきノートがあった。日蓮が法華経を講義し弟子の日興が編纂して日蓮の印可を受けたと伝承されている『御義口伝』の冒頭、「南無妙法蓮華経」について解説された左のようなくだりがある。

御義口伝に云く南無とは梵語なり此には帰命と云う（中略）南無妙法蓮華経の南無とは

梵語・妙法蓮華経は漢語なり梵漢共時(ぼんかんぐじ)に南無妙法蓮華経と云うなり、又云く梵語には薩達(サダル)磨(マ)・芬陀梨伽(フンダリキャ)・蘇多覧(ソタラン)と云う此には妙法蓮華経と云うなり、薩は妙なり、達磨は法なり、芬陀梨伽は蓮華なり蘇多覧は経なり……(『御義口伝』)

ノートには、この一節の講義を整理したメモのような記述が残っていた。

なぜそんなものを六歳になるかならないかという私が書いていたのか。じつは、まだ三〇歳を過ぎたばかりだった母が、あるときに『御義口伝』の勉強会に参加した。難解な講義を終えたあと講師が、きょう習ったことを理解する最適な方法は誰かに自分が教えてあげることだと話したらしい。

さりとて教える相手が思い浮かばなかった母は、興味があるかと自分の息子に尋ねた。私が「ある」と言ったので、彼女は自分が聞いてきた講義を息子に伝えることにしたという。そんなわけで、平仮名がときどき左右ひっくり返ったりしながら、私は「南無妙法蓮華経」の七文字の構造を解説したくだりの要点を、おそらく母のノートを写すようにして自分のノートに記したのだった。

宗教にさほど関心のなかった母が日蓮の教えに共鳴し、ほどなくその遺文を熱心に学ぶようになったきっかけは、法華経が「女人成仏」を説いた経典だと知人から教えられたことだった。

結婚して長男を授かりながらもさまざまな宿命の嵐に翻弄(ほんろう)されていた彼女は、日蓮の法門の緻密さに感銘したという。

母親がしょっちゅう分厚い日蓮の遺文集に定規を使い赤鉛筆で線を引きながら勉強している姿を見て、私もそこに線を引きたいとせがむようになった。母は息子の予想外の反応を興味深く思う反面、たぶん面倒になったのだろう。何割か援助してあげるから、自分のお年玉で自分用の遺文集を買ったらどうかと提案してきた。

こうして、私は小学校三年生にあがる一九七一年の春休みに『日蓮大聖人御書全集』(堀日亨編)を手に入れた。厚さ五センチ、一六〇〇ページを超す牛革表紙の大部。

病弱だった私には「生と死」は常に自分のすぐそばにあるテーマだった。宗教や信仰に関心があったというより、日蓮の発する言葉の力強さと、「生命とは何か」という問題に私は強く惹かれていた。ページを開くと幼い文字の書き込みが今も残っている。牛革の表紙はすでにボロボロになったが、思えば日蓮の遺文集は常に私の座右にあった。

なお、本書で引用した日蓮の遺文のなかに、学術的に後世の成立の可能性が指摘されているものが含まれていることは承知している。ただ、それを言えば法華経を含む大乗経典も釈尊滅後数百年を経て成立したものだが、仏教の信仰はそのうえに成り立っている。あきらかに日蓮の思想と矛盾する偽書でないかぎり、日蓮の法門として受容すべきだと考えて引用した。

いつからか、日本文化の底流にある「法華」という要素に光を当ててみたいという気持ちに駆られながら、そこに踏み出すことは容易ではなかった。なによりも、いざ向かおうとすると当然ながら山が大き過ぎた。そして私はアカデミアの人間ではない。身の丈に合わないことなら、手を出さないほうが無難ではないのかと躊躇があった。

エピローグに記したように、思索の直接の契機は東日本大震災である。そして、やはり迷うよりも書くだけ書いておこうと私の背中を押したのは、二〇二〇年からのCOVID-19のパンデミックだった。まだワクチンが開発されていなかったパンデミックの初期、私は自分の三カ月先の生死の行方さえわからないことを強く実感したのだ。

本書は、二〇二一年七月から年末までの半年間、私が籍を置くBUNBOUのnoteに二五回にわたって連載した「蓮の暗号」を、大幅に改稿し加筆修正したものだ。

お年玉で日蓮の遺文集を買ってからちょうど五〇年。期せずして、二〇二一年は日蓮の生誕八〇〇年、さらに聖徳太子の一四〇〇年遠忌、伝教大師・最澄の一二〇〇年遠忌という〝法華の年〟だった。

日本文化の本質を考えようと思ったら、本阿弥光悦を掘り下げていくといい——。

もうずいぶん前にそうアドバイスをくれたのは、大切な友人である五島浩（こう）さんだった。少年期から米国で過ごしてむこうの美術大学に進んでいた浩さんは、二〇代半ばで父親に日本に呼び戻される。そして日本文化の肝となるものについて、川瀬一馬、岡崎久司、加藤周一といった碩学(せきがく)から親しく学んだ。彼の自宅の隣には五島美術館があった。

それこそパンデミックになる前まで十数年ものあいだ、浩さんと私はほぼ毎月のように顔を合わせ、そのたびにたいてい何時間も話し込むのが常だった。合計すれば何百時間になるかわからない。どんな雑談をしていても、気がつくと光悦の話になり、日本文化の深部にある〝法華〟の話になっていたように思う。その意味で浩さんとの長い対話なくしては、そもそもこの本は生まれなかった。そして「琳派四〇〇年」の年に、光悦研究者の高橋伸城が私の前にあらわれた。これで視界が一気に開けた。

もとより、素人が素人であるということを最大の特権として自由に想像を膨らませるというコンセプトの試論に過ぎない。読者にはその楽しみにおつきあいいただければ幸いだと思っている。専門家から見れば、あるいは雑な論旨や同意しかねる点もきっと少なからずあるだろう。どこまで何を書き、書かざるべきか、最後の最後まで悩みながらも、開き直って自分が書いておきたいと思うことを書いた。

noteでの連載が二〇回を数えた頃、美術専門出版社であるアートダイバーの細川英一さんから単行本化のお話をいただいた。幾人もの現代美術家の著作を手がけてきた同社のラインナップを考えると、にわかに信じられないことだった。心から御礼申し上げます。

装丁と本文のデザインは、矢萩多聞さんにお願いした。私の本棚には、装丁に惹かれた「ジャケ買い」をして、あとから多聞さんの仕事だと気づいた本が何冊もある。『蓮の暗号』は二五〇〇年の時空を俯瞰(ふかん)してインドと日本を結ぶ物語でもある。中学生時代からインドで暮らし、今も日本とインドを往復する多聞さんに、この本をお任せできることは幸せなことだ。

大震災が契機となってこの本の構想がぼんやり浮かんだとき、どうしても欠かせないと思ったもののひとつが、よき編集者だった。私自身が編集者として他人の本づくりを手伝ってきたが、自分のことになるとまったく話が別になる。私という人間を理解し、私が書こうとしていること、書くべきことを、私以上に冷静に見られる編集者。十年余の歳月は、そうした人間と私を出会わせてくれた。

BUNBOUは、ライター・編集者・研究者が協働するユニットとして二〇一九年四月に立ち上がった。BUNBOUの大森貴久と高橋伸城がいたからこそ、本書は誕生することができた。本当に感謝している。

たくさんの方々の支えがあって、ようやくここに一冊の本が形となった。

文末になったが、海とも山ともつかない私の未来を信じ、いつも温かく励ましてくださった今は亡き荒木達彦さんと村上直之先生に本書を捧げます。

二〇二二年三月一六日

著者記す

◎著者略歴

東晋平（ひがし・しんぺい）

文筆家・編集者。一九六三年神戸生まれ。現代美術家・宮島達男の著書『芸術論』（アートダイバー）、編著書『アーティストになれる人、なれない人』（マガジンハウス）などを編集。

蓮の暗号

〈法華〉から眺める日本文化

二〇二二年四月二八日　初版第一刷発行

著者　東晋平

発行人　細川英一

発行所　アートダイバー

〒二二一─〇〇六五
神奈川県横浜市神奈川区白楽一二一
TEL　〇四五─二八一─三〇八一
FAX　〇四五─三三〇─五一六五
info@artdiver.moo.jp

装丁・レイアウト　矢萩多聞
写真提供　五島美術館、藤田美術館、三井記念美術館、Tatsuo Miyajima Office
印刷　モリモト印刷株式会社

ISBN978-4-908122-20-0